SV

Band 209 der Bibliothek Suhrkamp

Heinrich Mann

Politische Essays

Suhrkamp Verlag

Sechstes bis achtes Tausend: 1970
Copyright 1954, 1955 und 1961 bei Aufbau-Verlag, Berlin W8. Lizenz-
ausgabe mit freundlicher Genehmigung des Aufbau-Verlages, Berlin, und
des Claassen Verlages, Hamburg. Satz: Poeschel & Schulz-Schomburgk,
Eschwege. Offsetdruck: Nomos Verlagsgesellschaft, Baden-Baden. Printed
in Germany.

Inhalt

Geist und Tat

1910

I

Von allen, die je schrieben, hat den größten, greifbarsten Erfolg Rousseau gehabt. Wer ist er? Ein trauriger Figaro, der nichts liebt als seine Leidenschaft und tiefernst genommen werden will. Ein Landstreicher, der ein Volk sucht und einen Staat erträumt. Ein Kranker, der sich nach guter, gesunder Natur sehnt. Ein Menschenfeind, der mit einer fernen, geläuterten, geistigen und gütigen Menschheit rechnet. Ein Feind der Privilegierten, der Gräfinnen begehren muß; der die eigene Niedrigkeit, die eigenen Laster haßt und sich, unfähig, je dem Schlamm zu entrinnen, immer von neuem mit den Tränen und Gesichten der Seele reinigt, seine ausgesetzten Kinder in einem Roman erzieht, seine schöne Liebe in einem Roman liebt; der so gerecht und wahr in seinem Roman vom Staat ist, daß ein ganzes Volk von diesem Augenblick ab sich gerecht und wahr will, und über sein armes Leben hinaus ein so verklärter Kämpfer ist, daß nun ein ganzes Volk, das geistigste und tätigste, das je da war, seinen Kampf weiterkämpft.

Seine idealistischen Romane fanden ein Volk von Lesern, das sie darstellte. Dies Volk machte die Revolution nicht, solange es nur hungerte: es machte sie, als es erfuhr, daß es eine Gerechtigkeit und eine Wahrheit gäbe, die in ihm beleidigt seien. Auch seine Nachbarn erfuhren es; aber obwohl sie nicht weniger hungerten, handelten sie doch nicht. »Revolutionen sind selten«, sagte Napoleon, »weil das menschliche Leben zu kurz ist. Jeder denkt bei sich selbst, es lohnt sich nicht, die bestehende Ordnung umzustürzen.« Die Franzosen von 1790 dachten, daß es sich lohne. Ihre feurige Naivität, ihr Glaube an den Geist machte sie fähig, den Traum eines Dichters auf die Erde herabzureißen. Und war's nur der Augenblick, als die Grenzen der Provinzen fielen, der Adel abdankte, auf weiten Feldern die Zehntausende der Föderationen sich Liebe schwuren; als Bauern einander sagten, daß die Revolution nicht Frankreich gehöre, sondern der Menschheit, und Abgesandte aller Völker herbeizogen, um der französischen Nation Ehre und Bruderschaft zu entbieten: dieser einzige Augenblick, den so viel Blut bezahlt hat, warf dennoch über die Jahrhunderte voraus den märchenhaften Schein, der sie nun weniger trostlos macht. Nur noch eins gilt seitdem für die Menschheit: diesem vorweggenommenen und entflogenen Augenblick nachdrängen, ihn wieder einholen. Die Geschichte hat keinen anderen Sinn mehr, als jener großen Stunde Dauer zu geben und dem Geist, der das Geschlecht jenes Jahres beseelte, die Welt zum Körper. Was entgegensteht, alle verzögernden Mächte, jeder Triumph ungerechter Gewalt wird zum Zwischenfall vor der Ewigkeit des Geistes, der damals aufleuchtete. Aber ein Volk war nötig, das sich hingab, ihn darzustellen. Und das ihm Treue hielt. Das seit hundert Jahren Irrtümer und Zusammenbrüche nicht scheut, Despotismus und Niederlagen, Bürgerkrieg und grausame Rückschläge übersteht, um nach jeder Wirrsal und Erschlaffung eine Etappe weiterzugelangen auf dem Wege, den der Geist befiehlt. Ein Volk mußte geschaffen sein, für den Geist zu streiten, mußte die Ratio militans selbst sein. Die Notwendigkeit der Dinge? Die »Entwicklung«? Sie wird in aller Welt nie etwas anderes zeitigen als ein Mindestmaß von Lebensmöglichkeit. Nicht Freiheit: nur Lebenkönnen. Nicht Gerechtigkeit: nur Lebenkönnen. Nicht Menschenwürde: nur Lebenkönnen. Auf die Entwicklung bauen, heißt, sich der Natur anheimstellen; und noch niemand sah sie verschwenden. Der Geist, die Revolte des Menschen gegen die Natur, ihre Langsamkeit und Härte: der Geist, der in einer Stunde den Himmel verschenkt, verschwendet Generationen für einen Funken vom Brand des Ideals. Ein Volk war nötig, das sich ihm darbrachte und von dessen stolzem Opferwillen die anderen leben konnten.

Sie haben es leicht gehabt, die Literaten Frankreichs, die, von Rousseau bis Zola, der bestehenden Macht entgegentraten: sie hatten ein Volk. Ein Volk mit literarischen Instinkten, das die Macht bezweifelt, und von so warmem Blut, daß sie ihm unerträglich wird, sobald sie durch die Vernunft widerlegt ist. Was alles mußte zusammenkommen, damit dem Geist Krieger erstanden! Nordische Menschen, vom Blut und noch mehr von der Kultur des Südens durchdrungen. Die Synthese Europas. Das Geschlecht mächtig wie im Süden, aber die ganze Künstlerschaft, die es verleiht, auf den Geist geworfen. Der Geist ist hier nicht das luftige Gespenst, das wir kennen, – und drunten trottet plump das Leben weiter. Der Geist ist das Leben selbst, er bildet es, auf die Gefahr, es abzukürzen. Möglich immerhin, daß Gerechtigkeit das Leben beeinträchtigt, und daß Wahrheit zu Abgründen führt. Ließe sich denn nicht auskommen unter einer überlieferten Herrschaft, angesichts der Vorrechte einiger, bei der formalen Unterworfenheit unter einen längst abgestoßenen Glauben? Man könnte genießen, erraffen, was die Mächtigen übriglassen, könnte, seines heimlichen Wissens und gepflegten Innenlebens froh, abwarten, daß die Zeit von selbst reif wird. Hier aber ist ein Volk, das die erhaltenden Lügen verachtet. Das es verschmäht, ein Leben hinzufristen, über das sich nicht ungestraft nachdenken ließe. Die Pflege der Persönlichkeit scheint ihm eitel, wenn sie nicht um sich greift, erobert und beglückt. Kriegerisches Wohlwollen ist hier und generöser Leichtsinn. Sie haben nicht gefragt, diese Franzosen, wohin der Vernunfttraum eines Dichters, eines fragwürdigen Kranken, sie führen werde. Sie haben nach ihm gehandelt, weil er ihnen auf einmal die Welt erhellte; haben alles durch ihn erfahren, Schuld, Sieg, Buße – und sind, arme menschliche Tiere wie alle andern, weil sie den Mut hatten, sich zu begeistern, dennoch der Vergeistigung heute näher als andere: haben im ganzen der Nation einen Ausgleich und Gewinn errungen an Menschenwürde und sittlicher Kraft. Mögen sie, kaum, daß ein Freiheitskampf beendet, sich in neuen Ketten sehen; mögen Freiheit und Gerechtigkeit zurückweichen vor dem, der ihnen entgegengeht und erst mit dem letzten Atemzug der Menschheit erfüllt sein: wenigstens verbaut hier nicht mehr die eiserne Wand der Autorität die Zukunft. Kein Machthaber hält sich fortan gegen den Geist, dessen Strom ihn herauftrug und hinwegraffen wird ... »Die französischen Soldaten können ihre Vernunft gebrauchen«, sagte Napoleon. »Drum sind sie weiches Wachs in der Hand dessen, der sie bei ihrer Vernunft faßt; und doch sind sie die unerschrockensten der ganzen Welt.« – Die Geistesführer Frankreichs, von Rousseau bis Zola, hatten es leicht, sie hatten Soldaten.

II

In Deutschland hätten sie es schwerer. Sie hätten es mit einem Volk zu tun, das leben will, nichts weiter wie. Niemand hat gesehn, daß hier, wo so viel gedacht ward, die Kraft der Nation je gesammelt worden wäre, um Erkenntnisse zur Tat zu machen. Die Abschaffung ungerechter Gewalt hat keine Hand bewegt. Man denkt weiter als irgendwer, man denkt bis ans Ende der reinen Vernunft, man denkt bis zum Nichts: und im Lande herrscht Gottes Gnade und die Faust. Wozu etwas ändern. Was anderswo geschaffen, hat man in Theorien schon überholt. Man lebt langsam und schwer, man ist nicht bildnerisch genug begabt, um durchaus das Leben formen zu müssen nach dem Geist. Mögen neben und über den Dingen die Ideen ihre Spiele aufführen. Wenn sie hinunterlangten und eingriffen, sie würden Unordnung und etwas nicht Absehbares stiften. Man klammert sich an Lügen und Ungerechtigkeit, als ahnte man hinter der Wahrheit einen Abgrund. Das Mißtrauen gegen den Geist ist Mißtrauen gegen den Menschen selbst, ist Mangel an Selbstvertrauen. Da jeder einzelne sich lieber beschirmt und dienend sieht, wie sollte er an die Demokratie glauben, an ein Volk von Herren. Die angestammten und bewährten Herren mögen manchmal, unbeleckt wie sie sind, der hochgebildeten Nation auf die Nerven fallen: mit ihnen aber ist sie gewiß, zu leben, sicherer zu leben als die, die nur der Geist führt. Auch beherrschen sich diese Herren und werden schwerlich der Überspannung der Gewalt verfallen, die Explosionen schafft. Das extrem Tyrannische ist hier so unwahrscheinlich wie die Gleichheit. Keine Grausamkeit, aber auch keine Liebe. Nirgends liegen zwischen den Klassen solche Eisberge von Fremdheit. Man liebt einander nicht und liebt nicht die Menschen. Die Monarchie, der Herrenstaat ist eine Organisation der Menschenfeindschaft und ihre Schule. Die Masse der Kleinen, die hier wie überall die größere Wärme des Geschlechts enthält, wird zu entlegenen Hoffnungen verdammt und verdorben für die tätige Verbrüderung, die ein Volk groß macht. Kein großes Volk: nur große Männer. Was es hat an Liebe und allen Ehrgeiz, alles Selbstbewußtsein setzt dies Volk in seine großen Männer.

Seine großen Männer! Hat man je ermessen, was sie dies Volk schon gekostet haben? Wieviel Talent, Entschließungskraft und adliger Sinn unterdrückt worden ist, was an Demut, Neid, Selbstverachtung gezüchtet ward, und was versäumt ward in hundert Jahren an der Nivellierung, der moralischen Höherlegung der Nation, damit in unermeßlichen Abständen je ein Manneswunder und Ausbund aller Herrlichkeit erscheinen konnte, übermästet von der Entsagung ganzer Geschlechter und dem lebenden Dünger der Nation entsprossen wie eine tierisch fette Zauberblume. Nun liegt und betet an! Ihr, die schaffende Macht nicht kennt, braucht nicht zu wissen, wie es um die Mächtigen steht, und daß auch der Größte, gerade der Größte nur in den Stunden groß ist, da er schafft: daß die Verehrung seiner Person eine leere

Puppe trifft. Wieviel tote Zeit im Leben des großen Mannes, da er sich ausgeleert und klein weiß. Wieviel Schwindel und gewaltsame Überhebung, um tagein tagaus zu vertreten, was er zuweilen war. Welch wahnwitzige Selbstsucht, von der Masse derer aufgehäuft, die abdanken in seine Hand. Welche Entfernung vom Menschlichen, welche Vereisung. Was für Leiden auch, Überreiztheit und Angst des Zusammenbruchs. Was für schaurige Einblicke eines, der absolut zu sein hat, ins Nichts. Er saugt nicht nur Tatkraft und Stolz seines Volkes in sich auf, der große Mann: er kauft ihm auch die Abgründe ab, vor denen das wohltemperierte Dasein der Gewöhnlichen zurückschreckt... Aber das dürfte nicht sein, und er dürfte nicht sein. Ein Volk von heute hat kein Recht auf so große Männer. Es hat kein Recht, sich von ihnen der Selbstbestimmung entheben, korrumpieren, gar anstecken zu lassen und sich, Wollwarenfabrikant oder Schmock, ein Übermenschentum einzureden, während noch sein Menschentum rückständig ist.

Der Letzte aber, dem all diese Verirrung und Feigheit erlaubt wäre, der Mensch des Geistes, der Literat: gerade er hat sie geweiht und verbreitet. Seine Natur: die Definition der Welt, die helle Vollkommenheit des Wortes verpflichtet ihn zur Verachtung der dumpfen, unsauberen Macht. Vom Geist ist ihm die Würde des Menschen auferlegt. Sein ganzes Leben opfert der Wahrheit den Nutzen. Die Erscheinungen löst er auf, vermag das Große klein zu sehen und im Kleinen das durch Menschlichkeit Große: dergestalt, daß ihm Gleichheit zur letzten Forderung der Vernunft wird... Gerade er aber wirkt in Deutschland seit Jahrzehnten für die Beschönigung des Ungeistigen, für die sophistische Rechtfertigung des Ungerechten, für seinen Todfeind, die Macht. Welche seltsame Verderbnis brachte ihn dahin? Was erklärt diesen Nietzsche, der dem Typus sein Genie geliehen hat, und alle die, die ihm nachgetreten sind? Ist es der überwältigende Erfolg der Macht, den diese Zeit und dies Land sahen? Die

Hoffnungslosigkeit, die eigene Natur durchzusetzen, heute und hier? Der Drang zu wirken, sei es gegen sich selbst: durch Steigerung und Verklärung des Feindes, als bewunderter Anwalt des Bösen? Ist es die perverse Abdankung des allzu Wissenden, der sich im schlechten, unbewußten Leben wälzt wie ein entflohener Sträfling? Vom tragischen Ehrgeiz bis zu elender Eitelkeit, von der albernen Sucht, besonders zu sein, bis zum panischen Schrecken der Vereinsamung und dem Ekel am Nihilismus: die abtrünnigen Literaten haben viele Entschuldigungen. Sie haben vor allem eine in der ungeheuerlich angewachsenen Entfernung, die, nach so langer Unwirksamkeit, die deutschen Geister vom Volk trennt. Aber was taten sie, um sie zu verringern? Sie haben das Leben des Volkes nur als Symbol genommen für die eigenen hohen Erlebnisse. Sie haben der Welt eine Statistenrolle zugeteilt, ihre schöne Leidenschaft nie in die Kämpfe dort unten eingemischt, haben die Demokratie nicht gekannt und haben sie verachtet. Sie verachten das parlamentarische Regime, bevor es erreicht ist, die öffentliche Meinung, bevor sie anerkannt ist. Sie tun, als hätten sie hinter sich, wofür nur die andern geblutet haben, und maßen sich die Miene der Übersättigung an, obwohl sie niemals weder kämpften noch genossen. Sie sollten herrschen, der Geist sollte herrschen, dadurch, daß das Volk herrscht. Sie sollten diesem Volk das Glück vermitteln, sich wahr zu sehen, damit es sich höher achte und wärmer fühle. Die Zeit verlangt und ihre Ehre will, daß sie endlich, endlich auch in diesem Lande dem Geist die Erfüllung seiner Forderungen sichern, daß sie Agitatoren werden, sich dem Volk verbünden gegen die Macht, daß sie die ganze Kraft des Wortes seinem Kampf schenken, der auch der Kampf des Geistes ist. Ihre Vornehmheit sollte nicht Selbstkultus sein; die deutsche Überschätzung des Einzelfalles, der Auszeichnung geht täglich mehr gegen Vernunft und Wahrheit; sie sollte in der Kraft sein, Maß und Vorbild zu geben. Denn der Typus des

Da bis auf kurze Zwischenfälle den ganzen Tag nur ein Abgeordneter aus der Mitte des Hauses redet, ist das Zentrum vollauf beschäftigt. Es lacht, wo immer es einen Witz argwöhnt. So oft nötig, inszeniert es dumpfes Entrüstungsgepolter. Und pünktlich ist es zur Stelle, wenn von links ein Zwischenruf droht: mit Stimmen wie fette Hände, die abwehren, weil eine Fliege ins Bier fällt. Es scheint, daß die tausendjährige Seele des katholischen Christentumes grade hier nur wenig vertreten ist; vertreten sind Lebensformen und Interessen ganz materieller Art. Geistliche – diese schwer an ihren Leibern Tragenden? Diese schlauen und plumpen Gesichter, ohne Menschengläubigkeit? Aber hier, unter den Vierhundert, die die Nation selbst sind, füllen sie die breite Mitte; ihr Beauftragter redet tagelang. Er hat gewiß alles im deutschen Parlament erlangbare Können, hat den in dieser Mitte erlaubten Ehrgeiz und so viel Temperament, als hier gedeiht. Ein arbeitsamer Redner ohne Geste, seine Hände sind immer in den Akten.

Dann und wann betritt, die Hände in den Hosentaschen, ein Konservativer den Saal und überzeugt sich, daß die Sache gemacht wird. Sie wird gemacht. Nach dem gestrigen Zusammenstoß mit dem Reichskanzler, wobei Wahlgeheimnisse platzten, ist Marokko gefährlich geworden und man mogelt es besser in eine Sozialistendebatte um. Von Dreckwitz ruft: »Hört, hört!« – aber er selbst kehrt lieber zu den Freunden ins Foyer zurück, auf das rote Sofa, wo sie sich, die Glatzen zwischen den Schultern, so tief einsenken, wie nur des Nachts in die Polster des Palais de danse. Schmunzeln um die funkelnd schwarzen Schnurrbärte, plaudert man von den kleinen Freuden des Augenblicks, von den Sorgen der Zeit, – und wieviel edler genährt als an den geistlichen Freunden glänzt in diesen Mienen der Speck! Nun geht ein Lächeln darüber, denn jemand hat sich die Saaltür öffnen lassen, man sieht drinnen die Proleten sich abarbeiten. Dies Lächeln! Es sagt: »Komödie! Indes ihr schwatzt, ist das Geschäft längst fertig.« Es sagt: »Komödie! Ihr alle seid Objekte der Gesetzgebung, die Subjekte sitzen hier.« Es sagt: »Ein Leutnant mit zehn Mann.« Es ist ein Lächeln von Holofernes bis Dschingis-Khan. Es ist das Wulstlächeln aller Schweine der Weltgeschichte: aller Herrenschweine.

Von Dreckwitz hat »Bravo!« gerufen, weil der Redner die rote Bande nicht übel anhaucht; aber er behält den Mund offen, denn droben steht jetzt ein Freisinniger und beweist den Sozialdemokraten, daß sie beim Ausbruch eines Krieges gestreikt haben würden. Er ist sichtlich überzeugt, daß er heute gar nichts Besseres tun könnte. Die Ironie rechts sieht und hört er nicht; flammend reckt er sich nach links und gegen den Umsturz. Der Mann ist Arzt, er wird täglich mit Sozialdemokraten zu tun haben, muß genau wissen, daß diese Leute sich von ihm selbst höchstens durch ein paar historische Redensarten unterscheiden, daß sie maßvolle kleine Bürger sind, die nichts wollen, als Kindern und Enkeln ein spießiges Wohlleben verschaffen, und daß sie zum Generalstreik so stehen wie die Jungtürken zum heiligen Krieg, nämlich selbst die größte Angst davor haben. Aber die Wollust, positiv und erhaltend zu sein, macht ihm Kongestionen, er weiß nichts mehr. Und der Mann ist Jude. Sein Leben ist sicher nicht vergangen, ohne daß er die Feindseligkeit des christlich geschminkten Feudalstaates erfahren hat. Wenn er den Kopf wenden wollte, auf wie viele Blicke würde er dort rechts treffen, worin nicht freche Geringschätzung läge? Gleichviel, er sieht nicht hin, und für einen Augenblick ist auch er ein Herr, ein Machthaber, der zum Volk vom Pferd herab spricht (bevor es ihn wieder abwirft) und hinter sich Edelleute und Priester hat.

Die Instinktverlassenheit dieses Bürgertums ist vollständig.
So vollständig kann sie sich nur an großen Tagen bewähren.
Marokko mußte verloren werden, das Reich durch die Adeligen, die es regieren, tiefer gedemütigt werden als je vorher,
und die Adeligen selbst mußten, von Panik erfaßt, aneinan-
der geraten mit den sogenannten Staatsmännern, die nur ein
Ausschuß ihres eigenen Klüngels sind: solche glänzende Kom-
bination mußte eintreten, damit der liberale Bürger dem
Zentrumsredner auf seinen ordinären Trick hineinfallen
konnte und mitschimpften, gegen wen? gegen die Sozialdemokratie!

Was er über die Diplomaten vorbringt, klingt flau; man
hört die Demut, die sich einen Stoß gibt, um Ungezogenheit
zu werden. Überlegenheit wird sie nicht. Die »Herren dort
oben« bleiben oben, noch im tiefsten Sumpf. Der Bürger läßt
es ohne Widerspruch geschehen, daß auf alle seine Beschwer-
den der Staatssekretär als Antwort einen Witz setzt. Warum
sollte der Staatssekretär es sich schwerer machen? Seine
wahre, ach so schlecht weggekommene Gestalt kennt nur
Europa. Hier drinnen sieht man ihn nicht bloß in gelber
Weste, man sieht ihn gepanzert. Alle seinesgleichen, die sich
draußen ducken müssen in ihrem geistigen Elend, ihrem trü-
ben Mangel an Weltläufigkeit und Kenntnis der Geschäfte:
so oft sie zurückkehren aus den Niederlagen, die englische
Kaufleute und französische Literaten ihnen beigebracht haben, ah! welch ein Prunken vor den verschüchterten Lands-
leuten, welch Auftreten, welche furchteinflößende Autorität
– zwischen den Niederlagen!

Sie sind komisch, sie sind abstoßend: empörend sind sie
nicht, denn sie erhalten sich selbst wie sie können, und sind
wohl nicht fähig einzusehen, daß an ihnen das Land zugrunde geht. Empörend ist der Bürger, die Masse dieser gebildeten, wohlhabenden Leute, die durchaus den Haß nicht
kennen wollen; die ihren lehrhaften Dünkel für die radi-
kaleren Volksgenossen aufsparen und dem Volksfeind, der

rechts steht, mit Rücksichten begegnen, als lebten sie mit ihm auf derselben Plattform, als ließe sich paktieren, als gäbe es verbindende Menschlichkeit. Aber es gibt keine. Habt ihr denn kein Blut? Niedergehalten in eurer öffentlichen Selbstbestimmung, ausgeschlossen vom Staat, von Macht und Ehren, von der Vertretung der Leistungen und Werte, die nur die euren sind, der Welt gegenüber: ist das nicht genug? Ist es nicht genug, ein Leben lang von Fremden, die über ihren Willen und ihre Sprache selbst verfügen, gefragt zu werden: »Was sagt euer Kaiser? Was will eure Regierung?« Und wenn ihr einen anständigen Kopf habt, gefragt zu werden: »Sie gehören wohl zur Aristokratie Ihres Landes?« – da in einem unterdrückten Arbeitsvolk niemand die Gesichter der höchsten europäischen Kulturschicht sucht. Letzter Hohn eines deutschen Schicksals: verwechselt werden mit dem von Dreckwitz, mit dieser Elite des Stalls und der Nachtlokale, mit dieser Edelzucht von Zirkusdirektor und Schieber! Habt ihr kein Blut? Steigt es euch nicht in die Stirn beim Anblick der frechen Feindseligkeit einer Kaste, die es noch wagt, sich zu zeigen, noch wagt, befehlen zu wollen, mitten im Sammelpunkt eurer bürgerlichen Anstrengungen, in der Schöpfung eurer Väter, im Reichstag? Gutmütige Vorträge haltet ihr ihnen? Seid und bleibt fern aller Konventsstimmung, dem »Du oder ich!«, dem »Auf ihn!« der großen Geschichte?

Dann laßt euch immerhin am 12. Januar ein wenig zahlreicher in dies Haus zurückschicken: das ändert nichts. Ihr werdet öfter reden, und sie werden euch höhnischer trotzen. Auf ihr letztes Wort, das Gewalt heißt, bleibt ihr immer ohne Antwort, – da ihr ja niemals die Kasse sperren und abwarten werdet, ob die Kanonen sich gegen die Gebäude der Großbanken richten. Der Versuch wäre lächerlich einfach, und im Handumdrehen würde sich zeigen, daß sogenannte Herren, die es nur durch faule Übereinkunft und durch Suggestion sind, nicht aber kraft des Geistes und nicht einmal auf Grund des Geldes, daß sie noch gar nichts für sich haben, wenn sie nur die Gewalt haben ... Aber es wäre unnütz, euch zu raten. Die Geschlechter müssen vorübergehen, der Typus, den ihr darstellt, muß sich abnutzen: dieser widerwärtig interessante Typus des imperialistischen Untertanen, des Chauvinisten ohne Mitverantwortung, des in der Masse verschwindenden Machtanbeters, des Autoritätsgläubigen wider besseres Wissen und politischen Selbstkasteiers. Noch ist er nicht abgenutzt. Nach den Vätern, die sich zerrackerten und Hurra schrien, kommen Söhne mit Armbändern und Monokeln, ein Stand von formvollen Freigelassenen, der sehnsüchtig im Schatten des Adels lebt ... Geht heim, Volksvertreter, kehrt zurück in die bürgerliche Wüste dieses Landes; und braucht ihr Stärkung für eure Demut, dann tretet ins allgemeine Restaurationszimmer eures Reichstages ein. Nebenan, abgesondert vom Pöbel, speist der konservative Adel. Ihr werdet ihn nicht hinausprügeln.

Kaiserreich und Republik

Mai 1919; die Veröffentlichung wurde bis nach dem
Friedensschluß hinausgeschoben

Der Sieger

Das Deutsche Reich von 1871 war, wie es nun einmal ward,
eine unwesentliche Schöpfung der Deutschen. An seiner Er-
richtung waren nicht alle ihre Fähigkeiten beteiligt, und ihre
besten waren weniger vertreten als ihre nicht einmal guten.
Die Deutschen wohnten in diesem Reich nie ganz; ein wichtiger Teil ihres Wesens blieb draußen. Das Deutsche Reich
von 1871 mußte zusammenbrechen, aus diesem tiefsten
Grunde: weil es nicht ganz deutsch war. Aber sein Sturz
begräbt nur eine fragwürdige Abart des Deutschen, nicht das
Deutschtum.

1871 erschienen vor dem ersten Reichstag die Abgeordneten
des Elsaß und Lothringens, verlangten das Recht, ihr fran-
zösisches Vaterland zu behalten – und wurden ausgelacht.
1919 erbitten wir Deutsche für große Teile unseres Volkes
von Europa und Amerika das gleiche Recht wie einst Elsaß
von uns. Dazwischen liegt die Geschichte einer deutschen
Verirrung.

Kaum im Genuß seiner Einheit, verleugnete Deutschland die
Gedanken der Freiheit und Selbstbestimmung der Völker,
worauf all sein Kampf, sein schwärmerischer Drang ein halbes Jahrhundert hindurch sich doch berufen hatte. Noch 1869
ward in jedem deutschen Hause gelesen und geglaubt: höchster Begriff sei die Freiheit, nach ihr erst die Nation. Gari-
baldi, Freiheitsheld, war auch ein Held Deutschlands. 1915,
als Italien in den Krieg eintrat, war er schon längst zur Hälfte
lächerlich. Der Begriff der Freiheit hatte inzwischen für
deutsche Köpfe seinen Sinn verloren, ward geleugnet oder
in sein Gegenteil verkehrt. Man sagte: selbstgewollte Knechtschaft sei Freiheit. Mit Paradoxen begründete man ein System

des absoluten Militarismus, das anders im zeitgenössischen Europa nicht mehr begründet werden konnte. Man widersprach den Lieblingshoffnungen des vorgeschrittensten Teiles der Menschheit, und selbst seinen sichtbaren Erfahrungen und Verwirklichungen. Demokratie sei eine Verfallserscheinung, der dauernde Friede ein Traum und kein schöner. Einen menschlichen Fortschritt gebe es nicht, die sittlichen Tatsachen seien von jeher unverrückbar. Wie hielt man es nur aus, im Gegensatz zu allen zu verharren, deren Glaube ein Hinan war? Wie machte man es, des auch noch froh zu sein?

Man hatte Erfolg gehabt. Das Deutsche Reich und seine Sinnesart waren erzeugt vom Sieg. Der Fluch dieser Vaterschaft hat uns nie verlassen, er hetzte uns bis hierher! Der Sieg von 1870 verlor sich nie in unserem Leben seither, er ward nie aufgesogen. Er vermehrte sich in unserem Blut wie ein Giftkeim, millionenfach. 1913 waren wir in Handlungen, Gedanken, Weltansicht und Lebensgefühl unendlich mehr Sieger als 1871. Wir waren unendlich prahlerischer und machtgläubiger, unendlich hohler und unsachlicher. Erst jetzt hatten wir fast alle Würde der Freien verloren und ganz dem Geist entsagt, dem letzten Glauben an Dinge, die man nicht sieht, nicht zählen, nicht raffen kann.

Das unfaßbare Unglück eines schrankenlosen, unbeaufsichtigten Sieges ist abzuziehen von unserer Schuld. Mitverantworten muß sie das damalige Europa, das ihn zuließ. Schon 1870 lebten Wissende genug, Europa war als Einheit, deren Glieder nicht ungestraft einander verwunden, erkannt genug; England und Rußland, die es zuließen, daß Frankreich verstümmelt, Elsaß und Lothringen vergewaltigt wurden, befragten nicht ihr Gewissen, nur herkömmliche Gefühle und den Nutzen des Augenblicks. Der Krieg selbst erregte bei jedem Hochgesinnten, hier wie drüben, schon damals nur Zorn und Verachtung. Flaubert verübelte es seinen Zeitgenossen, daß sie ihn zwängen, zu empfinden wie ein Rohling des Mittelalters. Herwegh wußte, wer hier siege, und was Einheit heiße, wo »Knechtschaft« sich verallgemeinert«.

Die deutsche Einheit war geboten für Deutschland, aber nicht weniger für die Welt. Aufgabe war es, dem Nachbarn es zu beweisen, nicht, ihn niederzuschlagen. Aufgabe, das unausweichlich Heranreifende vor aller Augen sich vollziehen zu lassen – roh nicht einzugreifen in ein Gebilde, das nur wachsen wollte und das, trotz allem damals Verpfuschten, noch heute, nach dem Zusammenbruch seiner unrechtmäßigen Sicherungen, vor der Natur sich behauptet. Aber der deutsche Drang nach Einheit war in die Hände von Gewaltmenschen geraten, und sie stampften hinweg über das langsame Reifen einer friedlichen Demokratie. Er war schlau nicht weniger als gewalttätig, dieser Bismarck. Die deutsche Einheit wurde von ihm, im Interesse seiner Klasse, auf das Internationale hinübergespielt. Deutsche, aber auch Franzosen mußten für sie bluten. Nicht aus uns selbst, auf Kosten anderer mußte sie erstehen. Der äußere Friede dauernd gebrochen, im Innern eine segenbringende Entwicklung zerstört, aber gerettet alle, die von der Gewalt leben: bis heute galt eine solche Reichsgründung als Meisterwerk. Sie war ein ephemärer Handstreich, im Wesen verwandt mit jenem, der Napoleon den Dritten auf den Thron hob.

Nur als Sieger, in nachwirkender Erbitterung gegen den Besiegten, schien das Reich sich erhalten zu können. Der Erbfeind mußte bleiben, damit nur das Erbe blieb. Der Tag, an dem er die Waffen gestreckt hatte, wurde das Jahresfest des Reiches. »Macht geht vor Recht«, hieß der sittliche Besitz, der mit heimgebracht war. Die Ironie Bismarcks, angesichts derer dem Friedensunterhändler Frankreichs seine hoffnungsvollen Worte von Versöhnung und Völkerglück auf den Lippen starben! Ihr sollt nicht versöhnt werden, ihr »mögt uns hassen, wenn ihr uns nur fürchtet«, wie ein irrer Cäsar und Bismarck sich ausdrücken. Ihr sollt sogar eure Re-

22

publik haben, um unmöglich zu werden in einem monarchischen Europa und vollends zu verfaulen. »Schmort in eurem Fett«, bleibt in Quarantäne wie Pestträger, – bis vielleicht Gott, der uns schon einmal zu seinen Rächern an euch gemacht hat, uns ermächtigt, sein endgültiges Urteil zu vollstrecken! »Vom menschlichen, christlichen und politischen Standpunkt müssen wir Frankreich den Krieg erklären«, sagte schon wieder 1875 ein Beauftragter Bismarcks zu dem Botschafter der Republik. Der Ton war geläufig, auch Renan hatte ihn vernommen. »Solche Geister glauben sich beauftragt, die Tugend zu rächen und den verderbten Nationen wieder aufzuhelfen. In ihrer Überspanntheit verstehen sie unter dem Deutschen Reich keine begrenzte Nationalität: was sie wollen, ist eine Weltwirkung der deutschen Rasse, die Europa erneuern und beherrschen soll.« Schon 1870. Und die »Tugend«, die zu rächen war, ist nur eine altmodische Bezeichnung für die Überlegenheit des Starken und Rohen. Daher, gleich damals, die Einmischung in innere Angelegenheiten des Besiegten, die Maßregelung Pariser Zeitungen auf Berliner Befehl, die Lockspitzel. Der Sieger – hat er ein schlechtes Gewissen, trotz seiner »Tugend«? – gebärdet sich wie ein mißtrauischer Schwächling, immer in Angst, sein Feind könne wieder zu Kräften kommen.

Dies aber, noch mehr als die Niederlage, schafft drüben Gefühle der Schmach. Dem verdummenden Triumph des einen entspricht bei dem andern eine Rachsucht, die die Sinne schärft. Der Sorge um den künftigen Rächer, der nicht genug erniedrigt werden kann, erwidert ein stiller Kampf um die Würde. »Das Recht!« behauptet der Besiegte, indes der Sieger auf seinen mit heimgebrachten Schein trumpft, daß Macht vor Recht gehe.

Nie war es anders. Dies sind Sieg und Niederlage. Der Unterlegene ist ausersehen, sich seines Menschentums zu erinnern, der Sieger ist verurteilt, im Geistig-Sittlichen tiefer zu sinken als zu den Zeiten seiner äußeren Ohnmacht. Der innere Zustand des Siegers unterbietet alles, was er vor seinen Siegen an Schlechtem erlitt. Als Napoleon verschwand, blieb Frankreich unfreier, weil unwahrer, zurück, als es vor der Revolution gewesen war. Im siegreichen Deutschland 1871 bis 1914 wurden Herrentollheit und Untertanenstumpfsinn, Hoffart und Selbstentmannung, Menschenfeindschaft, Erwerbsgier und Widergeist dicker aufgetragen und schamloser behauptet als in den schwachen Kleinstaaten von einst, die ihre Soldaten verkauften.

Den Fluch des Sieges zu bannen, müßte jemand über allen kriegerischen Siegen stehen und, selbst Waffen in den Händen, im Herzen nur sittliche Leidenschaft, als Ziel nur Frieden und Recht haben. Die Welt erlebt erst heute, 1919, die ersten flehentlichen Versuche eines Siegers, sich dem Fluch zu entziehen. Er trifft sie dennoch, sie werden die Folgen ihres Sieges noch schwerer überwinden als wir die Wirkung unserer Niederlage; – aber kein Schauspiel hat je so unwiderleglich wie dieser ihr Kampf mit sich selbst, um Gerechtigkeit, die menschliche Zunahme an Erkenntnis und gutem Willen bewiesen. 1870 war sie nirgends. Die Adeligen und Militärs, denen das zu einigende Deutschland sich in die Arme geworfen hatte, waren weit entfernt vom guten Willen; und die Erkenntnis eines Bismarck bestimmte ihn höchstens, das niedergeworfene Österreich zu schonen, damit um so sicherer auch Frankreich erliege.

Ein bürgerliches Deutschland, auf sich selbst gestellt, auf seine Freiheits- und Völkerliebe, seinen noch lebenden Idealismus, wäre andere Wege gegangen. Den Krieg mit Frankreich auch nur angenommen, war er doch mit jener überlegenen Menschlichkeit zu beenden, die heute die Besieger Deutschlands ihren älteren Denkgewohnheiten abringen möchten. Wir konnten, blieben wir damals uns treu, vorangehen den Weg der Menschenwürde: dies war zu fordern gestattet. Freundschaft mit Frankreich – und hundert künftige Kriegsursachen, politische wie wirtschaftliche, entfielen

für die Welt, weil sie sittlich nicht mehr galten. Ein großes
Beispiel erledigte sie alle.

Wir konnten der Menschheit vorangehen. Statt dessen hielten wir sie vierzig Jahre lang auf, bis sie endlich in das
Chaos zurückfiel. Das neue Reich erhielt nicht einen einzigen
geistigen, politischen oder nur wirtschaftlichen Keim: nichts
war und ward es als Nachahmung, Vergröberung, Hemmnis.
Wiederholt ward das Ludwig Philippsche Königtum der be-
reicherten Bürger, aber hier noch platter; wiederholt im
weiteren Verlauf das Kaisertum Napoleons des Dritten mit
seiner blendenden Fassade, inneren Mürbheit, seiner Theater-
regie, Prestigepolitik, seinem falschen Anstrich von Sozialismus auf der frechsten Kapitalsorge, seinem Militärabsolu-
tismus in konstitutioneller Verkleidung – nur massiger hier
alles und dümmer. Das englische Imperium ward nachgeäfft
samt dem englischen Nationalismus, das Right or wrong, die
Flotte, die Kolonien, – die ausschließlich darum niemals groß
genug waren, weil die Englands größer waren.

Gewaltanbetung, noch dazu nachgeahmt: doppelte Unfrei-
heit. Was die Welt erblickte, war ein Herrenvolk aus Untertanen. Diesem Bild galt ihre Abneigung, um so mehr, da sie
die Verzerrung ihrer selbst, ihre schlechteste Vergangenheit,
ihre Rückstände und Hemmnisse hier wiedererkannte. Der
Krieg des Reiches und der Welt war, als er dann kam, ein
Kampf der Welt mit sich selbst; sie sollte ihre abgelebteste
Form überwinden. Krieg würde vielleicht noch immer nicht
das Siegel des zu Überwindenden bekommen haben, wäre
nicht die »schimmernde Wehr« des Reiches gewesen. Der Gedanke des Völkerbundes brauchte leider den Anblick eines
Völkerfeindes. Kein Evangelium der Gerechtigkeit wäre noch
erklungen ohne die Teufelsbotschaft von Potsdam. Menschen aller Länder, die weder gut noch schlecht waren, und
die nicht von Natur dem Geist nachlebten, schwuren sich angesichts der unabsehbaren Drohung des Reiches, falls sie
siegten, Freunde des Guten zu werden. Das Gewissen der

Menschheit erwachte: sieh, da erwachte in ihm auch das deutsche Gewissen. Deutschland war befreit; besiegt waren nur das Reich und sein Untertan.

Der Untertan

Die Eigenschaften des Untertans sind die, worauf das Reich gegründet war. Sie machen nicht den Deutschen aus, nur den Untertan. Es sind nicht deutsche Eigenschaften, jedes Volk hat sie. Jedes Volk hat sie angewendet, bekämpft, mit anderen vermischt. Die Charaktere der Völker Europas sind überall aus Bestandteilen derselben vielfältigen Rasse zusammengesetzt; Zusammenhänge der Zeit und der Geschichte entscheiden, wie. Glücklich jene, denen nie das Verhängnis ein Reich zusprach wie dieses!

Untertanen und Freie haben nirgends grundsätzlich nacheinander gelebt, immer gab es Übergänge und Mischungen aus Absolutismus und Demokratie. Aber in Deutschland allein wurden sie durch ein falsches und unvollkommenes Geschehen so folgenschwer ineinander verwickelt. Die absolutistischen Klassen waren nicht, wie anderswo, als politische Macht beseitigt, bevor neue Mächte sich durchsetzten. Der Adel und das Heer erwiesen sich als lebendig genug, um alles, was vordrängte, umzubiegen und sich nutzbar zu machen. Die Demokratie war lebensnotwendig, hier wie überall, und der Bürger, ob er wollte oder nicht, vertrat sie. Hier aber war die Demokratie in der Schuld des Absolutismus und ihm untergeben wie einem Gläubiger. Die Demokratie hatte das Reich nur erstrebt, gemacht hatte es der Absolutismus. Jetzt mochte sie es bereichern, er beutete es aus. Durch seine Gewalttaten an das Ziel gelangt, brauchte sie ihn – gegen die anderen Demokratien.

Bis zum letzten Augenblick hat auf ihr die Schuld an ihn gelastet, und noch lange hat sie empfunden, wie sehr dies drückte. Selbst im höchsten Glanz des Reiches verweigerte ein Teil des Bürgertumes ihm und seiner Sinnesart den Tribut. Noch 1905 stimmte der Freisinn gegen die Vermehrung des Heeres und der Flotte. Sie taten es wohl nur noch aus Überlieferung. Der Durchschnitt gewöhnt sich an Lasten, die vor allem sittlich sind, an Herren, die doch Macht verbürgen, und die der Eitelkeit schmeicheln. Sie starben dahin, die noch um Freiheit wußten. Sie wurden müde, die ohne Wahrheit, ohne Ehrlichkeit der Begriffe, nicht leben mochten. Alles ging seinen Weg. Die Demokratie machte ihre Söhne zu Absolutisten. Sie dachte fortan in Machtgesetzen anstatt nach den Geboten der Vernunft, sie schloß den Bund mit ihrem Widerspruch, – indes der Absolutismus sich um einige bürgerliche Hilfsmittel bereicherte. Er gab vollends auf, was einst Ritterlichkeit hieß, und bekam dafür Geschäftssinn. Sie machte sich seine vom Geist unangekränkelte Tatkraft zu eigen. Ein herrschender Typ entstand, der nicht Bürger, nicht Junker, aber beides in einem war, ein Wesen mit Sporen und einem Zahlenhirn, ein wandelndes Paradox, begabt, vor nichts zurückzuschrecken, was vergewaltigtes, ungerades Denken je ersinnen könnte.

Der Bürger dachte in Machtgesetzen. Der Arbeiter begann, es zu lernen. Er war am längsten Mensch geblieben; seine Führer waren noch Demokraten mit freier Stirn, als fast alle anderen sich geduckt und entwürdigt hatten. Ihr Glück war das Sozialistengesetz, es erhielt sie lange wach und in der Ruhelosigkeit des Verfolgten. Die älteren ermüdeten nicht einmal, als Sicherheit aufkam und Erfolge wuchsen. Vorgeblich nur auf materialistisches Denken eingestellt, boten doch gerade sie mit ihrem Glauben dem Zeitalter sein Bestes; und wenn später die Republik noch Menschen und eine Gemeinschaft fand, die, wenigstens bedingt, auf sie vorbereitet waren, die Ehre gehört der Sozialdemokratie allein. Dennoch war dies nicht ihr Zeitalter; es unterstand dem junkerlichen Bürger. Seine übermächtige Geistesart prägte auch den sozialistischen Nachwuchs. Die neuen Führer wie ihr Heer empfanden die grundsätzliche Umbildung der Welt immer entfernter, immer wesenloser. Sie verstrickten sich täglich tiefer in die Sorge, Gewinn zu ziehen aus der Welt, wie sie ist. Ihr Denken war zuletzt kapitalistisch – mit Vorbehalt, oder unwissentlich, oder in der Färbung der Heuchelei; aber kapitalistisch.

Auch war es national. Sie sangen hergebrachterweise ihre Internationale und hielten Weltkongresse. Auf den Kongressen gaben sie ihren fremden Freunden das Versprechen, nie Waffen zu gebrauchen, und wurden sich schwerlich bewußt, wie falsch es war. Sie dachten mit Recht, daß alle ihre Interessen gegen den Krieg seien, und dachten mit Unrecht, daß sie darum nicht kämpfen würden. Ihr gefühlsmäßiger Nationalismus kannte sich selbst nicht. Die Arbeiter hatten ihn im selben Maß wie die Bürger: auch sie überzeugt vom Recht der Macht, auch sie durchdrungen, die Macht sei hier. Ein Zeitalter scheidet sich nicht, es ist eins. Klassenkämpfe geschehen an der Oberfläche, in der Tiefe sind alle einig. Das großbürgerliche Zeitalter Deutschlands hatte für die sittlichen Verpflichtungen im Leben eines Volkes nur Achselzucken. Gewissensfreiheit, die Öffentlichkeit des Staates, die Teilung der Gewalten? Zugeständnisse an eine Scham, die schon tot war. Aber höchste Aufgabe und Pflicht: reicher werden, härter werden, Weltmacht sein.

Bis in die entsetzlichsten Orgien der Weltmacht hinein ist über angeborene Gefühlsweichheit geklagt worden. Erstrebenswert erschien eine, England nachgesagte, Unberührtheit von Gefühlen, nicht aber Englands kluger Anstand. Wer spät kommt und auf einmal viel nachholen will, kann es wohl weiterbringen als die Erstgeborenen – aber leichter im Schlechten. So hart waren in keinem kapitalistischen Gemeinwesen die menschlichen Beziehungen. So herrengemäß fühlten sich doch nirgends die Herren, und noch in keiner uns verwandten Welt wurden Menschen so sehr zum »Menschenmaterial«. Was wäre selbst die angepriesene »soziale Gesetzgebung« anderes gewesen als Instandhaltung von Material, Fürsorge für Maschinen, die dienstfertig und ungefährlich erhalten werden sollen, was anderes als Angstprodukt und Prophylaxis, – anstatt Herz zu sein für Gleiche, und Verantwortung vor dem eigenen Menschentum. Auch in der sozialen Gesetzgebung, wie in der Charitas, entscheidet es nicht, wieviel getan wird, sondern wie und von wem. In Frankreich ist die größte der bürgerlichen Parteien sozialistisch durchsetzt. In Frankreich und in England haben reiche Leute Gesetze zum Nachteil der Reichen, bürgerliche Minister Enteignungen vertreten. Man schwankt, seiner Klasse halb schon müde, hinüber zu den Forderungen einer heraufkommenden Empfindungsart. Ein Ausgleich vollzieht sich durch Einfühlung und wandelbares Gewissen.

Das Bürgertum des Reiches war im vorgeschrittensten Europa das letzte mit völlig starrem Gewissen. Es verharrte noch auf eigenmächtiger Höhe, wußte sich noch das Maß der Dinge; und den Klassengenossen des Westens, seine Humanität, seine allmählich sich vollziehende Abdankung verachtete es derart, daß es seine soziale Nachgiebigkeit für eine nationale Ermüdung hielt und den Westen für reif zum Untergang. Um so zuversichtlicher ergab sich das ungebrochene Bürgertum des Reiches einem nie und nirgends erhörten Gewaltkult, der übersinnlichen Gewißheit, die letzte Entscheidung der menschlichen Dinge, eines seelenlosen Menschenmechanismus, vollzögen nur Kanonen, die Maschinen der nationalen Industrie errängen ihren endgültigen Erfolg dank den militärischen Maschinen, und die Schlußbilanz einer siegenden Wirtschaft ziehe der Krieg. Ein Glaube so kühn, wer wird ihn bekennen? Auserwählte in hohen Stunden. Er färbt darum nicht weniger Denkart und Lebensstimmung auch derer, die seiner sich kaum bewußt sind, und durchdringt ihre Handlungen.

Die deutschen Eroberer saßen in den Ländern Europas,

lange bevor ihre Heere nachrückten. Sie haben nicht nur durch Unterbieten aus Konkurrenten Todfeinde gemacht, sie haben Europa »friedlich durchdrungen«, wie andere Nationen nur die Kolonien. Sie haben ein weltwirtschaftliches System befolgt, das vor dem Kriege schon Krieg war. Man bringt nicht französische Industrien an sich, nicht das italienische Bankwesen, und überschwemmt nicht England mit Unternehmungen und Menschen, ohne politische Folgen, und schwerlich ohne politische Absichten. Das »Alldeutschtum« ist herangewachsen an der Flotte, diesen Maschinen bürgerlicher Herkunft, für die Produktion von »Weltmacht«. Das »Alldeutschtum« war eine Ausgeburt der Beziehungen des Bürgers zur Gewalt. Es bedeutete wirtschaftlichen Militarismus. Es war die Seele der Epoche. Vergebens nannte man sich konservativ oder liberal, vergebens zierte sich die Regierung: zuletzt geschah immer, was alldeutsch war, – bis an das tödliche Ende.

Es geschah nicht, weil es gut, nicht weil es klug, nicht einmal, weil es wirklich stark gewesen wäre. Es geschah nur, weil es alldeutsch war und demonstrierte. Denn Alldeutschtum war eine sinn- und verantwortungslose Demonstration der Kraft – der metaphysischen Idee der Kraft vielmehr als ihres wirklichen Gehaltes. Alldeutschtum war eine Angelegenheit entarteter Professoren an pflichtvergessenen Lehrstätten des Geistes, aber ihrer bedienten sich militärische und industrielle Nutznießer. Es war alldeutsches Philosophem, in der Politik die Moral »überwunden« zu haben und grundsätzlich nur zu tun, was abscheulich war. Oder ist nicht das zweimalige Anerbieten des englischen Bündnisses abgelehnt worden – eingestandenermaßen, weil man, getreu nach Bismarck, in einem Bündnis immer der stärkere Teil sein, mithin es durchaus nie aus Freundeshand entgegennehmen wollte? Um den Preis einer guten Tat hätten sie sogar Marokko nicht gewollt! Das Haager Schiedsgericht, diese vom Reich zum Scheitern gebrachte Gelegenheit einer Weltwende des Friedens und der

Güte, wird von dem schuldigen Reichskanzler Bülow in dem Buch, das ihn rechtfertigen soll, nicht einmal erwähnt, – und er hat es geschrieben in dem Krieg, der das Ende seiner »Deutschen Politik« ist. Welch eine deutsche Politik! Die ganze Wirtschaft und alle großen Entscheidungen für den Kriegsfall berechnet, den eben dies herbeiruft. Der Nationalitätenkampf als Selbstzweck gesehen, die Nationen nur als Futter für irgendeinen Machtwillen; – und die Darstellung seiner Ostmarkenpolitik durch diesen Bülow ist das Häßlichste und zugleich Kindischste, was zum Preise nationaler Unterdrückung und zum unfreiwilligen Nachweis ihrer Vergeblichkeit je erbracht wurde. »Epochen, die so unerbittlich und allgemein vernehmlich das Urteil über den politischen Irrtum sprechen, sind so selten, wie sie groß sind«: – das wahrste Wort eines Reichskanzlers.

Die Überwindung der Moral gehört nicht eigentlich zur Macht und ihrem Wesen. »Bei strenger Wahrung der Gerechtigkeit«, gestand mit Bedauern Pitt, sei keine Macht zu denken. Die Gerechtigkeit für Schande zu halten, empfahl er nicht. Alte Mächte mit erworbener Weisheit achten endlich doch den Ruf des Gewissens. Diese neue Macht war ruchlos, weil sie zu schnell aufgeschossen, von sich selbst überrascht und in der Tat höchst fragwürdig war. Der Eindruck bestand, daß weder das Reich noch sein Untertan ihr Dasein einfach hinnahmen wie etwas Naturgewordenes. »Künstlich« nannte das Reich sogar sein Schöpfer, eine Treibhauspflanze war der Untertan; und auf unsolide Art zur Welt gekommen, nahmen sie sich das Recht, auch so zu leben, rechneten, anstatt mit Zeit und Selbsterziehung, auf jeden Zufall der Gewalt, jede unlautere Nachhilfe, jeden Bluff. Der erste von allen war ihre vorgebliche »Regierung über den Parteien«. Irgendein Mensch, der an Kraft des Urteils, der Tat, des Charakters nichts voraus hatte vor jeder mittleren Gestalt des täglichen Lebens, wurde durch die Ernennungsurkunde des Herrschers unvermittelt der große Mann, dessen Geist über die Niederungen der Parteien erhaben und jeder Verantwortung entzogen, in ein nationales All von Kraft und Herrlichkeit tauchte. Das Amt des Reichskanzlers war nicht das eines sterblichen Ministerpräsidenten, es war dank seinem ersten, so erfolgreichen Verwalter ein archaistisch vergrößerter Popanz, das arme Menschengesicht dessen, der es bekleiden sollte, erstarb darin. Vom Absolutismus die ganze Verlogenheit, vom Parlamentarismus einzig nur die Bestechlichkeit, dies war das Rezept. Der Staat, der danach lebte, durfte mit Verachtung hinabsehen auf die Demokratien, die es sich versagen müssen, zu lügen, und deren Parlamente jeden Skandal überstehen, weil sie, machtvoll und aktiv, die Rolle von Bestochenen niemals lange behalten können. Aber Demokratien haben keine Fassade, und das Reich hatte eine, die nichts durchließ. Gegen Ende begann sie zu bröckeln, ein Heeres- und Marinestank drang aus den Spalten... Gleichviel, nur selbstgerecht so fort, nur laut, nur vornweg, nur betriebsam. Das reichste Volk gemimt, indes man jeden Gewinn alsbald in neue waghalsige Spekulationen steckte, das mächtigste Volk, und es säete sich ringsum Feinde, seine einstige Ohnmacht.

Betriebsamkeit kann dem Unsittlichen die Seele ersetzen, seine Welt fühlt sich, weil sie sich dreht. Man feiert die eigene Tüchtigkeit wie ein Verdienst um den Geist der Menschheit. Sie aber zeigt sich beleidigt. Zu viel Tüchtigkeit ist Angriff. Die aggressive Wirkung dieser vom Reich verfälschten Deutschen ward meist nur ihren Manieren zugeschrieben, ihrer unbeirrbaren Jahrtausendfresse, ihrem allumfassenden Dünkel: – »Die deutsche Wissenschaft«, »Die deutsche Musik« erledigten die ganze Welt, genau wie »Das deutsche Heer«. Das Wesentliche blieb dennoch ihre Betriebsamkeit. Was war ihr Kaiser? Betriebsam.

Ihr Kaiser vertritt die Deutschen seines Reiches, im Namen ihres Wesentlichen, restlos vor der Geschichte. Sein Weben und Walten, die Sorgen seiner Nächte und seine feierlichsten

Rufe in die Seele seines Volkes – waren Betriebsamkeit. Ein Überallundnirgends im Adlerhelm, der das monarchische Prinzip oder ein neues Fabrikat anpreist, dies hieß Kaiser. Wie modern! Ludwig Philipp trug seinen Regenschirm, bis er ihn zuklappte und nach England abfuhr. Hier aber war alles gewachsen bis ins Babylonische, das Geschäft, der Anreißer, die Bürgerlichkeit – und dazu gespickt der ganze Betrieb mit Drohungen für die Konkurrenz, mit trocken gehaltenem Pulver und schneidigem Schwert. Geschäft auf Grund von Siegen, vergangenen und künftigen! Da jagte er durch das Land, der Bürgerkaiser, mit seinen siebzig Uniformen, und stachelte seinen Untertan an, noch tüchtiger zu sein, auch dies noch zu verfertigen, auch hier noch »an die Spitze« zu kommen und, Neidern und Schwarzsehern zum Trotz, immer noch »klotziger« zu verdienen. Womit immer er sich befaßte, was er gerade vorführte und empfahl: Erfolg! Erfolg, höchste Bürgertugend! Alles verstehen wollen, aber nichts wirklich können und lieben, überall gewesen und schon wieder zurück sein, an nichts hängen, haltlos und unsachlich bis zum Grauen sein, ein Schein sein, eine Bühnenlarve – und dort, wo das Herz sitzt, nichts haben als die Anbetung des Erfolges, sei er bei durchgedrungenen Künstlern oder amerikanischen Milliardären, die unbedingte Anbetung jedes Erfolges, der sich in Geld ausdrückt: so und nicht anders mußte der Mann aussehen, der in solchem Reich die Norm war und allen ihr erhöhtes Bild bot. So und nicht anders war er. Er ist von den Seinen bewundert worden, wie selten die menschliche Eigenliebe sich selbst bewunderte. Er war ihr Abgott. Als sie ihn gehen ließen, verstießen sie nur sich selbst. Sie sollen ihn nicht verleugnen. Sie sollen sich nicht auf ihn entlasten. Seine Schuld ist die kleinere, denn seine Rolle auf dem gemeinsamen Theater war durch sie bestimmt. So viel sie selbst aus ihm machten, hat er nicht beitragen können zu ihrer Schönheit.

Der Oberste Kriegsherr dieses Theaters hat wohl auch

schwere Stunden gehabt. Auf keinen Fall ist es glaubhaft, daß die einsame Spitze ganz so ohne Blick und Wissen gewesen sei wie die Moleküle im breiten Gestein der lebenden Pyramide. Wenn er, krank wie sein Reich, der Erschöpfung nahe war: – er hatte sich eine internationale Abfuhr geholt oder, »im Innern unbeschränkt«, mit Reden wie eines aus der Haut gefahrenen Schwerindustriellen den Sozialismus vernichtet und war nun erschöpft, welcher bittere Geschmack trat ihm da auf die Zunge? So schmeckt die Unfruchtbarkeit. Herbei, Geschaffenes! Ach! nur Nachgeahmtes kam, und die englische Flotte blieb die größere. Nachahmung: die ganze Leere der vierzig Jahre gähnt aus dem Wort. Der Bürger äffte den Ritter, beide zusammen äfften England und das Reich alle dagewesenen Beispiele »öder Weltherrschaft«. Nachahmung macht unfruchtbar bis ins Kleinste. Kein Bedarfsartikel erschien, damit er nur gut sei; er hatte »deutsch« zu sein und irgendwie »an der Spitze« zu stehen.

Quälender aber werden die Fragen, wenn aufgerufen werden soll, was bei der Hast, voranzukommen, verloren ging. Nachahmung muß doch Eigenes kosten? Da die technischen Erfindungen des Zeitalters, trotz unserem heißen Bemühen, fast alle draußen entstanden, was versäumten wir statt dessen? Steht das Können der Hand und des Auges nicht hoch bei uns, wir hatten doch ein anderes, und fühlten es als unseres, solange wir unverfälscht waren. Aber gerade die Werke des Geistes waren dem Reich eine Verlegenheit, wie lästige Fremde, die man rücksichtenhalber nicht ausweisen kann. Auch suchten sie selbst nur selten einen Anschluß an die Wirklichkeit des Reiches. Das seit 1870 erwachsene literarische Geschlecht hat freilich um 1890 einen Versuch gemacht, dem Reich und der Epoche, die so sehr Stoff waren, ihren seelischen Gehalt abzugewinnen und dergestalt sie zu besiegen. Stofflichkeit um der Wahrheit willen und, schon dadurch, sittlicher Drang aus ihr heraus: dies ergab den Naturalismus. Die Erregung, die er bewirkte, war größer, als ein nur literarischer Umschwung sie zeitigen kann; sie galt der neuen Wirklichkeit, die hier sich ankündigte. Notwendig aber fehlte dem deutschen Naturalismus, trotz liebenswertesten Werken, in einem solchen Reich das Rückgrat des festen Ideenglaubens, den zu derselben Zeit Zola bewährte. Gute Wallungen gehen vorbei mit der abnehmenden Jugend; und diese sozialen Dichter schwenkten ab, gleichwie ihr Altersgenosse, der Kaiser, als »die Kompottschüssel voll« war, seine kurze Hinneigung zu den Enterbten vergaß. Was noch folgte, war die Vollendung einzelner, nicht mehr Ausdruck der Epoche. Wie jeder dichtende Geist sich allein fühlte! Stand im Wesen jenseits dieses ungünstigen Augenblicks und kämpfte um seine Beachtung mit nicht ganz gutem Gewissen und einem Wozu? Drang einer durch? Dann war er mißverstanden, ward Zwecken angepaßt, die unter ihm waren. Das Schicksal Nietzsches.

Nietzsche hat, wie jedes große Talent, einen Zeitgeist um mindestens zehn Jahre vorweggenommen. Seine Amoralistik wie sein Aristokratismus sind Gewächse des Jahrganges 1870. Sie reiften früher bei ihm als im Lande; aber hinter Borgia handelte Bismarck, und seinen philosophischen Willen zur Macht beflügelte das Deutsche Reich. Der Gegenstand seines Machtwillens freilich war größer als diese: es war der Geist. Irdisch würde er, wie Flaubert, die Herrschaft einer Akademie verlangt haben, anstatt eines Klüngels von Waffenfabrikanten und Generalen. Moralfrei hieß für ihn: wissend, nicht: tierisch. Wenn im Jahre 1914 viele der Unseligen, die hinausgetrieben waren gegen eine mißverstandene Welt, in ihren Tornistern den »Zarathustra« getragen hätten, dann ist aus ihren Tornistern Lachen erschallt. Mit ihnen kämpfte, leider, kein Nietzsche. Er hat sie weder für wissend noch für adelig gehalten; ja, über die aufgeopferten Geschlechter des Reiches hinaus hat er, höchst ungerecht, Deutschland verworfen, von je und für immer verworfen. Mögen Künftige es ihm verzeihen. Auch er stammte, woher das Reich stammte; die Zerrüttung des Zeitalters forderte auch ihn. Er sah nicht mehr klar, nicht hinweg, und hatte vergessen, daß das wahre Deutschland aller Zeiten ein geduldiges, einsichtsvolles, der Gerechtigkeit ergebenes Volk ist.

Hielten die Söhne des Reiches ihn ganz ernstlich für ihren Propheten? Es kam spät und sah nicht echt aus. Einfacher fanden sie zu ihrem Wagner. Der war nicht rein, war einer der Ihren, erfolgsüchtig, vom Stoff besessen, mit der Lüge auf bestem Fuß – und machte Musik, was über alles Fragwürdige, wenn Meister und Jünger es wünschen, Unklarheit verbreitet. Der Tag wird gleichwohl aufgehen über seinen herrlichen Helden, und sie werden als Verräter dastehn. Sie haben das Volk, in das sie sich hineinmusizierten, an die schlechtesten Triebe des Zeitalters verraten, sie haben das Zeitalter, an dem sie mitwirkten, erst recht zum Ausbruch gebracht, es seelisch entfesselt. Es wäre nicht ganz so abgründig schlecht geworden ohne die Helden Wagners. Viele haben neben ihm mitgeschaffen an der Verderbnis, haben, wie der berüchtigte Treitschke, ihr erquältes Deutschtum auf den Haß begründet, Haß der Welt und Haß des natürlich, harmonisch Deutschen, das die Weltfreunde Schiller, Mozart, Goethe darstellen. Geister jedes Faches haben Paradoxe, künstlerische Verführungen, gelehrtes Blendwerk beigebracht, deren Folge und Ergebnis »alldeutsch« heißt. Wagner benutzte unter allen den populärsten Apparat, er entzog seine Mittel der Aufsicht der Vernunft, und er war bedenkenlos wie einer, weil im Vorrecht des Künstlers. Ein revolutionäres Erlebnis verraten und zu der Macht überlaufen, die wieder obenauf ist: gesetzt, daß niemand es dürfte, so doch ein Künstler? Was ist ein Künstler, wenn nicht der wirksamste Bekräftiger des gerade Bestehenden! 1848 hätte dem willigen Künstler mehr Gelegenheit zur Wirkung bieten sollen! Freiheit und Menschentum, die versagen, haben allem anderen Platz zu machen, das auf der Opernbühne nur ziehen kann: einer schwitzenden Kraftentfaltung, dem als Zustand waltenden Siegesgetöse, gewissen Schwülsten von Deutschtum, die um des Farbenspieles und Effektes willen sogar antisemitisch schillern. Wie sieht er die Macht, die ihm heilig ist? In Gestalt von Zaubermännern mit Schwanenhelmen. Wie das Volk? In den Spalieren eines vom Glanz seiner Herren geblendeten, von den Ereignissen ewig überraschten Chores. Wie den Deutschen? Als den ruchlosen Tölpel Siegfried. Wie sich selbst, der Plebejer? Mit den adeligen Zügen eines blonden Stolzing. So darf denn auch, als das Leben herum ist, der letzte Schwindel nicht ausbleiben, das christliche Leiden, von dem der große Mann und Königsliebling sich allerwege nach Kräften gedrückt hatte. Jung belügt man sich selbst, als Mann die anderen, im Alter wieder sich. Was bleibt? Musikalisches Ausdrucksvermögen, genial so viel man will, für vergiftete Gefühle und einen verfälschten Geist; die Oper, die ein schönes, luftig-sinnliches Gebilde gewesen war, grob materialisiert und zum Wagnerbetrieb gemacht, einer vorwiegend sozialen und wirtschaftlichen Tatsache, die den Bestand ihres Gründers länger sichern wird, als seine Kunst es vermöchte. Was bleibt? Eine scheinbare Vermehrung des deutschen Ruhmes, – bis am entscheidenden Tage das Herausfordernde, Enge und Trübe der in solchem Werk handelnden Seele dem Haß der Feinde um so festeren Anhalt bot. Über alles dies aber hat das zielbewußte Talent, dem seine Kunst nicht zuerst Kunst, sondern »deutsch« war, genau wie dem mitlebenden Fabrikanten sein Produkt, sich noch die Philosophie des leidenden Geistes Schopenhauer angemaßt. Oder war sie wohl erworben? Durch die Bitterkeit des Lasterhaften? Die Weltverachtung des Ehrgeizigen? Nicht ungestraft jagt jemand, der an sich selbst nichts zu verraten hatte und überall nur sich anschmeißt und einschwindelt, sein Leben lang dem Rausch der Wirkung nach, dem sofortigen Genuß des Tages, – anstatt daß Ruhm und Tag, herangereift, zu uns treten. Lange, nachdem er und sein Geschlecht dahin waren, traten Ruhm und Tag zu einem derer, die in seinem

Schatten gelebt hatten und gestorben waren. Ein großer Künstler, o Gottfried Keller, kann selbst zu einer solchen Zeit ein braver Mann und darum erst groß sein: aus einem Stück, eines Glaubens, und mit Selbstverständlichkeit deutsch.

Ein Zeitalter, das an Geister wieder glaubt, wird sie erblikken. Das Auftreten des Genies entscheidet sich nach dem Bedürfnis. Das mechanistische Kaiserreich hatte die Atmosphäre, die es verdiente: es schuf sich eine Ideologie des Bösen. Die Welt nicht, aber seine Welt ward in der Tat, weil alle es glaubten, nur von bedenkenloser Erwerbsgier gelenkt, und ein Realist sein, hieß, allein das Böse für wirklich halten. Da war eine Mehrheit von Schwachen, zum Guten so leicht zu haben wie zum Bösen, – und durch alle Umstände begünstigt, redeten Wortemacher und Nutznießer ihr das Böse ein. Seht zurück auf jene jahrzehntelange widernatürliche Aufgetriebenheit des nationalen Willens, jene Ruchlosigkeit des öffentlichen Denkens und die Abtötung der euch altgewohnten Vernunft, in der nicht Kraft allein, auch Güte herrscht. Könnt ihr es noch glauben? »Ein ewig dauernd Herrenvolk« verlangten sie von euch, – und dies war schlechthin grauenvoll. Dies hieß: bekämpft alle anderen Völker, bis sie tot oder Sklaven sind, thront einsam als Feinde aller, als Unterdrükker, Richter, einziges Weltgewissen – und so für ewig. Ward dessengleichen von Menschen je gefordert? Rom und England wußten davon nichts. Kein Volk mit widerstandsfähigem Wirklichkeitssinn ist einer so ungeheuerlichen Versuchung erlegen. Ihr seid es. So kam der Krieg.

Er kam durch Deutschland nicht, wahrhaftig, nein. Durch das geduldige, einsichtsvolle, der Gerechtigkeit ergebene Volk des ewigen Deutschlands kam er nicht. Er kam durch ein Wesen, das gegebene Tatsachen stumpfsinnig verehrte, das Unterwürfigkeit, Grobsinnlichkeit und Härte für Gesetze des Lebens hielt und Menschenverachtung für seine letzte Frucht; das, unsachlich, unwahr und in allem Geistigen frivol, für Höheres nie kämpfen, immer nur raffen und schmatzen, aber

38

nie kämpfen wollte, und das überdies einen solchen Unfug für Reife und Gipfel, sich selbst, den Wechselbalg des Deutschen, für seine Vollendung ausgab. Der Krieg kam durch den Untertan.

Der Untertan verzichte doch darauf, die immer wiederholten Kriegsdrohungen seines mit ihm verschmolzenen Kaisers für Verirrungen eines einzelnen zu halten. Wilhelm der Zweite hat jedesmal ungehemmt nur herausgesagt, was im Hintergrund jedes Bewußtseins war und 1913, bei der wüsten Hetze jener Jahrhundertfeste, nicht mehr im Hintergrund blieb: zuletzt sind wir der Sieger. Wir dürfen uns überall verhaßt machen, brauchen über die Völker, mit deren Hilfe wir reich werden wollen, kein wahres Wort zu wissen und mögen sogar den Allerunwissendsten die Führung der Geschäfte lassen: zuletzt muß doch alles noch eingeholt werden, denn wir sind der Sieger. Der Sieg, unser gottgewolltes Amt, gibt uns ein Recht auf alle Fehler, jeden Übermut. Ende gut, alles gut.

Dennoch durfte Wilhelm sich den Friedenskaiser nennen lassen; er wollte nicht, was er sprach, ein glänzender Erbe, der alle Hände voll zu tun hat mit Einheimsen, Prunken, Spielen, kann den Ernstfall nicht wollen. Der Ernstfall war in seinem Munde ein dramatisches Requisit, eine nur gedachte Ausflucht aus selbstgeschaffenen Verlegenheiten, keine Vorstellung, kein Ernst. Wie er, sein Untertan: zu phantasiearm und zu eitel, um die Folgen des eigenen Treibens zu ermessen. Gewalt im Sinn, aber solange die Futter- und Geldhaufen noch anschwellen, nicht geneigt zur Gewalt.

Gleichwohl, die Schwierigkeiten im Verkehr mit der Welt werden größer. Die Länder Europas lassen die deutsche Durchdringung auf dem Bank-, Industrie- und Handelswege nicht mehr willig geschehen. Beanspruchte Kolonien werden dem Reich ernsthaft bestritten. Schiedsgerichte und Kongresse sind ein tückisches Mittel, den Sieger zu überstimmen. Ein Sieger, eingefangen in Spinnengeweben! Wie lange kann es dauern, bis er sie zerreißt. Wollten selbst die Alten beim

Geldverdienen sitzen bleiben, da ist eine Jugend, mehr Sieger und noch mehr Untertan als ihre Väter – »alldeutsch« der Nachwuchs sämtlicher Parteien. Da ist, hinter dem Kaiser, sein Sohn. Die Alten werden sich doch nicht beschämen lassen? Eine letzte Kraftprobe der Gewalt, ihr letztes Manöver vor dem Ernstfall. Es heißt Zabern – und macht viel Staub, viel Lärm. Aber wenn am Ende doch alle sich fügen, sich ergeben und das Schicksal hinnehmen, so mag es denn kommen.

Der Krieg bricht aus. Sie haben ihn nicht gewollt. Sie haben nur so gelebt, daß er kommen mußte. Sie sind nicht schuldig, denn man lebt doch, wie man geschaffen ist, – und das Reich hat sie geschaffen. Sie haben den Frieden gewollt, aber er starb ihnen sehr gelegen. Sie kommen auf einmal aus allen Verlegenheiten und kürzen durch einen Krieg, selbst wenn er verlustreich wäre, immer noch um ein Menschenalter den Weg ab, der sie zur vollendeten Weltherrschaft führt. Sie sind ihrer Sache sicher und triumphieren, weil man sie »angreift«, so wahr wie 1870. Auch die anderen machen endlich einen Fehler, und der entscheidet. In den Ränken des Friedens konnten sie uns gefährlich werden. Jetzt haben sie das Spiel aus der Hand gegeben.

Der Geist von 1914 war Triumph – und war es in Deutschland allein. Handlungen bleiben zweifelhaft, unleugbar ist nur das Ergebnis. Deutschland hat sich das Urteil nicht durch seine Kriegserklärungen gesprochen. Eine Kriegserklärung kann vielleicht eine Flucht in die Offensive sein. Sie ist es nur dann keineswegs, wenn der Geist des Landes der deutsche Geist von 1914 ist. Wären alle behaupteten Herausforderungen Englands, Rußlands, Frankreichs erwiesen oder erweisbar, der Geist von 1914 würde bleiben und mehr beweisen. Daß die Regierung des Reiches allen Vermittlungsversuchen auswich oder sie unwirksam machte, könnte vergessen werden; auch drüben bei den andern liegen Versäumnisse, liegen Schuld und Vorschuld; unvergeßlich bleibt der Geist von

1914. Man wird nicht aus einem eingekreisten Wild durch Willensakt urplötzlich zum Welteroberer. Man sieht nicht von heute auf morgen die ganze Welt als politisch abgehaust, als sittlich verwahrlost und als leichte Beute an. Ein Geisteszustand – und gar dieser äußerste – ist das Erzeugnis langer Jahrzehnte. Der Glaube an den schnellen Sieg, der nur ein deutscher Glaube war, setzt eine Vorbereitung nicht auf den Krieg nur, auch auf den Angriff voraus. Man glaubt nicht an Fähigkeiten, die man nie freiwillig zu bewähren denkt. Ein Volk, das unter Abtötung vieler anderer Anlagen und Kräfte seinen letzten Daseinszweck und ganzen Stolz in seine militärisch begründete und aufrechterhaltene Macht setzt, kann nicht leben, es sei denn, daß es sie sich endlich einmal greifbar beweist und losschlägt.

Der Kämpfer

Arbeit für Menschenalter! Die ärmste aller Demokratien erquält Atemzüge, deren jeder der letzte scheint, und hat doch vor sich ein Tagewerk, anspruchsvoller als jede andere. Sie soll als erste ganz ernst machen mit dem Sinn ihres Namens; ihr Gesetz, das alle gleichstellt, soll auch den Vorsprung des übermäßigen Reichtums keinem lassen. Sie soll gerecht, soll höchstes Menschentum, soll auf Erden Gott sein. Inzwischen aber nehmen die einen ihre Beschützung als Vorwand, um Krieg und gröbsten Militarismus noch hinzufristen, und die andern fluchen, in leerem Grimm, ihrer Schande. Draußen der Feind aber nennt sie Betrug.

Sie ist nicht Betrug, nicht schändlich, ist stärker, als ihre angeblichen Beschützer, und besser, als sogar ihre überzeugten Wortführer glauben. Sie ist das verwickeltste, gefährdetste Unternehmen, in das ein Volk gestellt werden konnte. Wenn nichts weiter daraus würde als ein Ding nach Art der schlechtesten der Republiken, man müßte noch staunen. Aber es wird mehr werden. Eine wahre und reine Demokratie wird heranwachsen trotz unserer tiefen Not, obwohl so wenige erst wahr sein möchten und der Wille noch überall befleckt ist. Das einmal erwachte Gewissen fällt nicht wieder in Schlaf. Was war anderes zu erwarten, als daß eine so plötzlich ausgerufene Demokratie zunächst fast nur Demokraten wider Willen enthalten werde und solche, die mit dem Wort ihren Vorteil meinen. Gerade die Not wird sie bald an die Geistesmächte glauben lehren, deren sie bis jetzt sich nur zu bedienen denken. Der Zwang der Dinge, Niederlage, Armut, feindliche Bedrängnis und innerer Zerfall befehlen den Unvorbereiteten: rafft eure besten Kräfte zur Umkehr auf, tiefer geht es nicht mehr in den Abgrund! Sie werden dem Zwang folgen nach Art des menschlichen Durchschnitts, mit viel Wehgeschrei, Wut, Klagen um Verlorenes, Drohungen an das Schicksal, mit manchem Selbstbetrug und heftigen Versuchen sich zu drücken: aber sie werden folgen, man darf ihnen glauben. Sie wollen leben, darum – ihnen bleibt nichts anderes übrig – sind sie Demokraten.

»Erblickte man diese eindrucksvolle Masse von zwölfhundert leidenschaftlich bewegten Männern, so konnte eins dem aufmerksamen Beobachter auffallen. Sie wiesen sehr wenige starke Individualitäten auf, gewiß viele achtbare Leute von ansehnlicher Begabung, aber keinen derer, die ihr Genie und Charakter die Menge hinzureißen ermächtigt, keinen großen Erfinder, keinen Helden. Die machtvollen Neuerer, die dem Jahrhundert die Bahn geöffnet hatten, waren damals nicht mehr am Leben. Übrig war ihr Gedanke, er ging vor den Völkern her. Große Redner standen auf, ihn auszudrücken und anzuwenden, fügten aber nichts bei. Der Ruhm der Revolution in ihren ersten Augenblicken, aber auch die Gefahr, die ihren Schritt vielleicht hätte unsicher machen können, lag darin, daß sie ohne Männer auskam und ihres Weges allein ging, nur im Drang der Ideen, im Glauben an die reine Vernunft, ohne Wunderbild und falschen Gott.« – Die französische Revolution stand also, nach Michelet, zu Anfang auf mittelmäßigen Menschen. Diese hatten nur den Vorteil, daß vor ihnen revolutionäre Denker gelebt hatten. Sie hatten vierzig Jahre Enzyklopädie hinter sich, anstatt vierzig Jahre geistwidrigen Kaisertums. Sie waren von Leidenschaft für ihr Geschick erfüllt, anstatt im Innern noch widerspenstig. Sie glaubten. Sie liebten einander. Sie fühlten sich Sieger.

Könnten wir wie sie sein, wir wären in der einzig wünschenswerten Verfassung gewesen, vor unsere Feinde und Besieger zur Friedensverhandlung hinzutreten. Jeder unserer Delegierten und mit ihnen wir alle würden fühlen: »Triumphiert, wie ihr wollt, erklügelt einen so harten Frieden, als ihr nur wollt: es liegt nicht so, wie ihr noch denkt, wir sind trotz allem im Aufstieg, da wir uns zu dem neuen Geist bekennen, und ihr, die ihr jetzt statt unserer der Gewalt frönen müßt, liegt am Boden.« ... Wenn sie uns aber stolz gesehen hätten auf unsere Niederlage, die dann nur in der Tat, nicht nach dem Sinn eine gewesen wäre, so hätte es geschehen können, daß unsere Besieger sich ihres Sieges schämten. Sie wären nicht primitiv genug, um noch laut und hart zu triumphieren über einen Besiegten, der seine Schuld erkannt und anerkannt, bereut und schon hinter sich gelassen hätte. Dies ist wohl keinem Volk gegeben. Nicht Verwandlung erlebt es, nur unmerkliche Umbildung. Angesichts eines ganz neuen Volkes würden jene die Rolle der veralteten verschmäht haben. Die Szene in Versailles, als sechs Vertreter Deutschlands in einen Saal und vor den weiten Halbkreis der Sieger traten, als aus der Mitte der Sieger, vorn ein Greis aufstand, der fünfzig Jahre das Aufgehn jener Tür und das Eintreten der Besiegten erwartet zu haben schien, – aufstand und sprach »Die Stunde der Abrechnung ist da«: diese großartigste und abscheulichste Szene würde nie gespielt haben ... Nun hält der Fluch des Sieges die Sieger gefangen, und alle ihre flehentlichen Versuche, ihm zu entrinnen, sollen vergeblich gewesen sein. Sie wußten schon von dem Gesetz der Gerechtigkeit;

ihre Staatsmänner wollten keineswegs alle, wie noch 1871 Rußland und England es dem unseren erlaubten, als Henker des Besiegten gegen sich selbst wüten – und müssen es dennoch. Jedes der siegenden Länder hat große Volksteile, vielleicht eine Mehrheit, die verwirft, was an Deutschland geschieht; aber es geschieht. So erniedrigt der Sieg, immer und unausweichlich. Auch Wissende, Gesittete verfallen seinem Fluch. 1871 wiederholt sich verkehrt. Die Grausamkeit und Begehrlichkeit, die sie solange bei Deutschland verachteten und haßten, jetzt wird sie ihnen, wollten sie hundertmal entrinnen, auferlegt von ihrem eigenen Elend, ihrer Eifersucht untereinander, ihrer Furcht vor der Rache des Besiegten, ihren wiedererwachten alten Trieben. Aber alles nimmt doch erst überhand durch das unglückliche Verhalten Deutschlands.

Denn Deutschland verhält sich selbst am allerwenigsten, als leiteten die Friedensverhandlungen eine neue Zeit ein. Zu Hause findet es weder Worte noch Taten der Erneuerung. Die Lügen des Kaiserreiches werden übernommen samt seinem Personal, und das Kaiserreich gedeckt gegen unfromme Enthüllung: nicht nur, weil die regierenden Sozialdemokraten schon wieder Gefangene des Militärs sind, das sie vor ihren eigenen ungebärdigen Genossen retten muß. Ein fauler Wind der Verdrossenheit am neuen weht. Wo ist überzeugter Protest, wenn Revolutionäre unter Qualen getötet werden, vorgeblich, weil sie radikal, in Wahrheit einzig, weil sie Revolutionäre sind und herhalten müssen statt der gemäßigten, – indessen den schlimmsten Kriegsfurien niemand ein Haar krümmt. Jeder Republikaner, der es in der Tat ist, wird vom Gerücht der Bürgerhäuser als »Bolschewist« verfolgt. Wer irgend mitgewirkt hat zur Revolution, verfällt lebend oder tot, und wäre er rein wie Eisner, dem verleumderischen Haß all der Unbelehrten, deren ganze Zukunft doch einzig steht auf der Revolution. Das Wort Revolution darf in Parlamenten von den Kaiserparteien niedergebrüllt werden, an den geflüchteten Kaiser ergehen offene Huldigungen: was alles wohl ganz ohne Aussicht ist, dem Grafen von Chambord wurde von den Bürgern der dritten französischen Republik viel länger gehuldigt, und er kam nie; aber sind dies die Mittel, mit denen Deutschland vor seinen Besiegern sich neue Rechte zu erwerben denkt? Aufgewärmter Militarismus, ausgedrückt im Denken, Prahlen, Kundgeben und Schuldenmachen für das Militär, in blutiger Verfolgungssucht, wird kaum vertrauenswerter durch seine einstweilige Ohnmacht, nur kläglicher wird er. In der besonderen Lage Deutschlands ist die Beschimpfung der erfolgreichen Gegner genauso würdelos, als kröche es vor ihnen. Eins wie das andere bedeutet Selbstverleugnung dessen, der als Sieger nicht anders, nur, wie in Brest-Litowsk, noch ausschweifender gehandelt haben würde als sie. Deutschland kann noch nicht vergessen. Seine Ansprüche und Anklagen, Manifeste und Proteste erfüllen die Welt mit dem Kreischen eines gefesselten Imperialismus, nur selten mit der Stimme beleidigten Menschentumes. Eine Verzweiflung, die bis zur Anrufung des Bolschewismus und allgemeinen Weltunterganges geht, die sich belustigt wie vor dem Weltuntergang und ihr erwuchertes, erschobenes, erspieltes Geld noch eilends hinauswirft, wenn sie es nicht listig in Pelzen, Perlen und ausländischen Grundstücken versteckt, gebietet nicht mehr die Achtung, die ihr sonst zukäme. Die Welt der Feinde sieht nichts Neues hier aufstehen, sieht abseits einer enttäuschten, erbitterten Arbeiterklasse das Bürgertum daliegen wie ein Wrack und als würde es sich nie wieder zu leben getrauen ohne sein Kaiserreich, in seiner Feigheit nur die Revolution verwünschend, die dem »unbesiegten Heer« im entscheidenden Augenblick »in den Rücken gefallen« sei. Gerade die ärgsten Förderer des Krieges und Nachrichter des Kaiserreiches fühlen sich am wenigsten verantwortlich der Republik, mit Verachtung entziehen sie der einst gelobhudelten Nation das Notopfer. Die Republik ist dieser Gattung Schande und

Strafe, denn sie ist arm, – als ob nicht Armut, die segenreiche, euch die geistige Erneuerung erst verspräche, ohne die ihr in Zukunft auch euer Geschäft nicht mehr finden werdet. Suchte aber jemand die geistige Erneuerung bei den Universitäten, der Essenz des Bürgertumes, auch dort stieße er nur auf einen reuelosen Nationalismus und auf das Bemühen, die »Grundlagen der Politik«, die im Auftrag der Republik gelehrt werden, zu ihrem Schaden zu verfälschen. Die Berufung auf die uns zugesagte Gerechtigkeit ist in der furchtbaren Abrechnung unser einziges Haben; warum will unser Unheil, daß sie falsch klingt. Gerechtigkeit verspricht sich leicht, aber sie will erworben werden, und ward noch von keinem hier erworben, nicht von den Siegern, die sie zu erteilen sich vermaßen, noch von dem, der sie fordert.

Ein Volk, wie ein Mensch, muß zuerst voll und tief verantwortlich sein, bevor Gerechtigkeit ihm gebührt. Andere verdienen nur Gnade. Wofür nun hält Deutschland sich verantwortlich? Seine Provinzen möchten es am liebsten aufgeben und verlassen, so wenig hat das gefallene Kaiserreich, das ein Geschäftsunternehmen war, den inneren Zusammenhang des gemeinsamen Gewissens bei ihnen heranbilden können. Deutschland selbst aber: kaum daß ein Wort von Schuld fällt, schiebt es seine alten Diplomaten, seine Militärs, seinen Kaiser vor, – ohne doch auch nur mit diesen wirklich zu brechen. Aber was wären diplomatische Handlungen, wenn nicht Bestätigungen eines durch die Nation von langer Hand geschaffenen Tatbestandes. Wenn in den letzten Stunden vor dem Krieg die Welt noch eine Partei hatte, die sich mühte, ihn aufzuhalten, und dies nicht Deutschland war, das geschehen ließ und seinem Partner Vollmachten gab, das immer nur gedroht, so lange verantwortungslos gedroht hat, bis unversehens, ungewollt seine eigene Drohung es übermannte: o! dennoch bleibt bestehen, daß auch drüben die hereinbrechende Weltseuche ihre Träger und Verbreiter gehabt hat. Vielmehr noch: sie sind schuldig drüben, wie wir, durch ihr bloßes

Wesen, das unserer Feindschaft begegnete, denn Dasein ist Mitschuld, Kämpfende sind Brüder. Reifer und dem Krieg schon abgeneigt, lebten sie dennoch in derselben Vorkriegswelt und ihrem Dunstkreis, unter Zusammenhängen, die in sich schon den Krieg trugen. Auch aus ihrer Vergangenheit her führten Leitungen der Zwietracht, Rachsucht, Gewalt; und der Gedanke der Gerechtigkeit zwischen den Nationen, der uns alle mit einer besseren Zukunft verbindet, hatte auch ihnen sich damals noch nicht vollendet. Not und Empörung haben sie ihn erst gelehrt – aber doch früher als uns! Wir danken den Gedanken, der uns retten soll, nur ihnen! – und die tiefste Schuldfrage ist erst diese: warum geistfremde Unerbittlichkeit bis zum Zusammenbruch nur hier, und drüben doch Anwandlungen von Idee? Warum Deutschland im Fühlen und Wollen allein, und alle andere Menschheit von ihrer Natur selbst ihm gegenübergestellt? Jetzt ist es dahin gekommen, daß eins nur bleibt, eins nur uns helfen kann: sie übertreffen an Gewissen des Geistes, und gerechter sein als sie. Schon ist Gerechtigkeit eine Macht geworden, höher als irgendeine derer, die ihr seht, die als Geld oder Armeen sich zählen und kommandieren lassen. Unsichtbar allgegenwärtig verfolgt die Macht des Wortes fortan die Frevler, sie droht auch unseren Besiegern, besinnen sie sich nicht auf ihr Gewissen, mit dem Untergang der sittlich-wirtschaftlichen Welt, die ihnen mit uns gemeinsam ist. Nur gemeinsam können wir sie retten. Jene anderen werden sich besinnen, ihr Friede wird unter dem Anhauch des Geistes, den sie riefen, täglich zerbröckeln. Sie denken zuerst noch ihren Sieg zu Geld zu machen, dann erst gerecht zu sein. Der Völkerbund soll, nach der Hoffnung des Weisesten unter ihnen, wiedergutmachen, was der Friedensvertrag verdirbt. Sie haben noch keine Zeit. Beginne, Deutschland!

Trage deine Taten, verantworte dein Schicksal! Tu es einzig für dich! Ob die Wahrheit dir bei deinen Besiegern nützen könnte: ihnen, die heute, in ihrer Siegergier, wenig wahrhaftig sind, schuldest du sie nicht zuerst, du schuldest sie dir selbst! Du hast zum Leben nichts weiter mehr als die Wahrheit. Dein Entschluß zur Demokratie kann keinen anderen Sinn haben als den, die Lüge abzuschwören, die dich so arm gemacht hat. Wozu noch das Feilschen und die Ausflüchte, – da doch einstmals die Rede so selbstverständlich von dem Welteroberungskrieg Deutschlands gehen wird, wie von dem des ersten Napoleon. Auch er klagte England an, und wirklich wollte es ihn vernichten; aber warum war er noch da, der schon nicht mehr da sein durfte? Ihr könnt nur einmal im Recht sein: als ihr das Kaisertum stürztet, oder nun ihr sein Verbrechen leugnet. War es denn nur unglücklich? So wäre es liebenswerter als vorher, und es stürzen, war gemein. Die deutsche Republik bekenne sich zu der Tat, mit der sie geboren ward! Unsere Enkel würden es uns nicht verzeihen, zwängen wir auch die Republik wieder, zu lügen. Unsere Enkel freilich könnten auch die nicht achten, die ein einzelner und sein Gesinde wie eine Tierherde in den Brand der Welt hineingejagt hätten. Würden sie es uns auch nur glauben? Sie könnten unser Leugnen nur würdelos finden, und gerade unsere Verstocktheit müßte es ihnen bestätigen, daß nicht ein Kaiser die Hauptschuld Deutschlands trägt, sondern die Art seines Untertans. Auch Absolutismus vermag nicht, der Nation einen ihr fremden Willen aufzudrängen; er verantwortet nur den nationalen Willen, den er erzogen hat, und nützt ihn für sich aus. Er ist fort, wir selbst sind verantwortlich – sogar für unsere Geschichte, wie viel mehr für unsere Nachwelt.

Der Streit aber um die Männer, die jetzt an unserer Spitze stehen, ist noch immer monarchisch. Ihr wollt sie rein und unbefleckt von der Vergangenheit? Dann also aus anderem Geschlecht als ihr, einer heiligen Ferne entsprossen, wie Lohengrin. Deutsche von 1919 sind »kompromittiert«, sie haben manches hinter sich und sollten es einander nicht vorrechnen. Die Männer an der Spitze gehen mit allen anderen Überlebenden aus den Trümmern des Kaiserreiches hervor, sie sind bedeckt von dem Staub seines Zusammenbruches, – kann sein, daß sie sogar bereit waren, es zu retten. Dann würden sie die Gesamtheit mit um so mehr Recht vertreten. Denn die Gesamtheit hat nur aus Not eine Monarchie fallen gelassen, die durchaus fallen wollte, und einen geflüchteten Kaiser. Die Gesamtheit will nichts anderes als diese Übergänge zur Republik, noch nicht sie selbst. Die wenigen, abseits Denkenden, Erkennenden im Kaiserreich waren nicht Vertreter der Gesamtheit, sie waren ihre Vorhersager und Vorläufer. Sie standen keineswegs, wie Beschränktheit ihnen nachredet, zum Feind, sie standen zum kommenden Deutschland – und damit auch zu einer Welt, die erst noch kommt. Aber glaubten selbst die Vorläufer, im Gefängnis der Zeit, zu allertiefst an das, was sie doch wußten? Die handelnden Männer, die die Masse hinanträgt, würden zu den guten Tagen ihres Volkes nicht mithelfen können, hätten sie nicht auch an seinen schlimmen ihren Teil. Mirabeau, ein von Lastern zersetztes Geschöpf des alten Regimentes, grüßte dennoch in der Revolution die neue Seelenbefreiung, der er, auf verfallenem Gesicht schon den Tod, seine große Stimme lieh. So sind die Ersten. Übersetzet den großartigen Adligen von einst in euer Kleinbürgerliches. Es ist gerecht, Achtung zu fühlen für die meistbelasteten Träger des verwickeltsten, gefährdetsten Unternehmens, in das ein Volk gestellt werden konnte; es ist Pflicht gegen dies Volk. Wir sollen unserer Republik es nie vergessen, daß in ihr, wie immer sie heute erscheine, der gute Keim des zu erneuernden Geistes der Deutschen schläft. Warum nicht ihr, der im ernsten Anblick der Notwendigkeit geborenen, einen Teil wenigstens des Gefühls entgegenbringen, das dem triumphal zur Welt gelangten Kaisertum so leichtfertig hingeworfen ward. Das Kaiserreich war alles, was es sein konnte, gleich anfangs, nichts kam hinzu als leicht Vergängliches. Die Republik wird unser Gefühl länger und edler belohnen können, denn sie lohnt am Herzen und Sinn. Die Zweiten nach diesen werden bessere Republikaner sein, durch Erleben. Die Dritten werden es von Geburt sein. Geduld, jeder Volksstaat neigt zur Selbstreinigung, Selbsterhöhung. Jener Mirabeau verfocht noch das Vetorecht des Königs, und handelte wider Willen doch derart, daß der König fiel. Die Abschaffung des Hohenzollern heißt für Deutschland vor allem, daß die Zeit der hochfahrenden Abenteurer vorbei und die der geduldigen Arbeiter da ist. Demokratie wird durch Arbeit.

Das Volk mit seinen durchschnittlichen Fähigkeiten erwählt aus seiner Mitte eine große Anzahl Personen, die im ganzen nicht mehr und nicht weniger begabt sind als es selbst. Diese sollen es führen: was werden sie tun? Natürlich nicht, mit Überspringen einer langen Entwicklung, glanzvolle Scheinerfolge davontragen, denn dies kann kein Durchschnittsmensch. Natürlich auch nicht plötzlich zusammenbrechen; denn Durchschnittsmenschen leben friedlich und lange. Ein Volk irreführen und überanstrengen, ist Sache der großen Machtpolitiker, die wir immer nur zu unserem endlichen Schaden kennengelernt haben. Auch Friedrich der Große, auch Bismarck waren nur die Volkskraft; aber da sie in ihnen sich sammelte und ganz an sie abdankte, mußten sie, grenzenlos überladen, das Gleichgewicht verlieren, das Maß und Urteil für Bleibendes und nur Befristetes, für Künstelei und für Natur. Zwanzig Jahre nach dem Tode des einen wie des andern brach ihr Werk nieder. Eine Demokratie bricht nicht nieder. Ihr ist kein einzelner das Verhängnis, die Nation wird nicht aufgepeitscht, nicht blindlings mitgerissen ins Ungewisse. Sie wählt, erkennt und geht geschlossen vor, soweit nur, wie wirklich ihre Kraft reicht. Sie muß nicht prahlen, nicht glänzen, die Demokratie braucht die Lüge nicht. Ihre Menschen leben vor aller Augen, jeder das Gewissen und der Mitverantwortliche des andern; und die Selbsterkenntnis der Gesamtheit erhält sie wahr. Die Macht, die so lange das Böse an sich war, geht, aufgelöst, in das allgemeine Leben ein, das weder gut noch böse ist, und das nur wahr sein muß, um gut zu werden.

Demokratie ist die Betätigung aller Begriffe, die wahrhaft menschlich machen. Sie ist der Wille der Mehrheit, der Völkerfriede, Freiheit im Innern, Ausgleich des Besitzes – und ist es in dieser Folge. Ihr könnt den Ausgleich des Besitzes nicht schaffen, bevor ihr die Geister gerecht gestimmt habt. Ohne den Völkerfrieden ist, ebensowenig als ohne den Willen der Mehrheit, soziale Gerechtigkeit denkbar. Deutschland zerfleischt sich jetzt im Namen des Besitzes, so ist es noch weit von Demokratie. Auf beiden Flügeln schreit es nach einer Diktatur, und die Mitte verharrt in ungerechten Klagen, so ist es kaum erst aufgebrochen. Das zur eigenen Herrschaft gediehene Volk wird die heute aufeinanderprallenden Wellen des roten und des weißen Schreckens nicht mehr kennen; wird aber auch nicht mehr verstehen, wie irgendeine wirtschaftstechnische Auffassung zum Angelpunkt alles Seins und Geschehens gemacht werden konnte. Der Ausgleich des Besitzes wird unserer aus Not und Bekenntnis werdenden Demokratie nur ein Teil des Notwendigen und Wahren scheinen, und wie er zu sichern sei, nichts weiter, als eine Frage der Gelegenheit. Glaubhaft ist, daß England, wenn anders es zu »nationalisieren« schon begonnen hat, das Ziel auch früher erreichen wird. Verdankt es dies nur dem gewonnenen Krieg, nicht vielmehr seinem Vorsprung in verwirklichter Demokratie? Am Anfang steht das Recht aller; da denkt es sich nicht länger in Klassen. Das System der Klassen, schon jetzt verbogen an allen Enden, wird bald unbrauchbar werden. Wenn das Großkapital abgebaut und die äußerste Armut erlöst sein wird, das Bürgertum seinen Anschluß an den ehemaligen Adel verloren, der einstige Proletarier den seinen an das Bürgertum gefunden haben wird; wenn kein Büregeredelmann, sondern der Arbeiterbürger das Zeitgemäße sein wird: was bleibt dann noch von Klassen? Ein weites Kleinbürgertum, aus Kopf- und Handarbeitern; – und die werden nicht in alle Ewigkeit um ihre Gewinne streiten. Ihre Vertretungen werden weder beschränkt sein noch ausschweifen: ja, gerade ein Rätesystem, sofern es alle irgend Arbeitenden umschlösse, würde, indem es sie von Grund auf politisierte, jedem vernunftwidrigen Äußersten, ob Imperialismus oder Kommunismus, den Zugang sperren. Die Welt wird nicht als Vorstellung von Berufsorganisationen da sein; sondern mehr Menschliche als früher sollen an ihr bauen. Kleinbürgertum ist erdenfest, darum ist es, anders als die Lügner und Abenteurer des Imperialismus, jenes Kaiser gewordenen Geldschwindels, befähigt, die wirklichsten Lebenstatsachen, die sittlichen, anzuerkennen und Gerechtigkeit und Wahrheit ebenso anzustreben wie seinen gediegenen Erwerb. Es wartet nur auf seine Lehrer.

Der Sozialismus komme zum vollen Bewußtsein seiner Größe. Er wäre wenig, wenn nur der Streit um Geld und Gut ihn am Leben erhielte. Jene hemmen ihn, die Politik mit Wirtschaft gleichsetzen und den Menschen, Geist und Inhalt der Politik, noch immer nur für ein Erzeugnis seiner Wirtschaft ausgeben möchten. Er soll sie nun meistern lernen; sein Geist komme über den Stoff. Wenn das neunzehnte Jahrhundert an die Selbsttätigkeit der Materie glaubte, Grund war nur die Unzulänglichkeit seiner eigenen menschlichen Schöpferkraft. Es war im ganzen eine Zeit des Versagens, nach jenem achtzehnten, das der Menschengröße so reich vertraute und darum ihr unvergängliche Beispiele gab. Unter uns Menschen des zwanzigsten Jahrhunderts lebt auf und handelt weiter die französische Revolution. Sie ist ewig, ist übernationales Geschehen im Angesicht der Ewigkeit. Im Schein von Blitzen hat sie einst für Augenblicke vorweggenommen, was noch die künftigen Jahrhunderte unserer Welt mit täglicher Wirklichkeit erfüllen soll. Der ihr befreundete, ihr gewachsene Geist Deutschlands, Kant, kehrt nun, von weither, zurück in den Worten Wilsons, da zeigt es sich erst, wie sehr Deutschland sich selbst entfremdet war. Die Republik, die sie meinte, ist kämpfendes Menschentum; wir können keine andere meinen. Nun er siegt, gehe auch der Sozialismus, durch verschmelzende Klassen, in kämpfendes Menschentum ein; sei Gesinnung mehr als Lohnbewegung, Liebe mehr als Haß. Ihn umfangend, ihn erst erweckend, erhebt sich die Demokratie, unsere Republik. Sie feierte der größte Sozialist Jaurès in Reden, worin von Wirtschaft kein Wort stand, als sittliches Gebilde des Menschen, und nicht anders feierten sie bürgerliche Demokraten von menschlicher Höhe. Betätigung aller Begriffe, die wahrhaft menschlich machen, ist Demokratie.

Ein Volk, das so im Innern lebt, äußert sich gegen Fremde nicht anders. Keins hat zwei Seelen. Die äußere Politik ist immer und überall eine Fortsetzung der inneren auf fremdem Boden, aber mit heimischen Mitteln. Wer zu Hause nur Gewalt kennt, hat draußen nichts anderes zu bieten. Seine Bündnisse sehen aus wie er selbst. Die bisherigen »Realpolitiker« taten sich viel darauf zu gut, daß sie im Auswärtigen womöglich noch weniger als im Innern das Herz befragten. Das Ergebnis war dennoch nur, daß Gleich zu Gleich kam: als es ernst ward, trennte ein Verbündeter sich ab, der zuletzt doch anderen Wesens war. Ein Volk aber, das künftig nur um sein Recht und Menschentum kämpft, anstatt für Raub? Es wird, um seiner selbst und seiner Sendung willen, unter den Völkern so viele Freunde haben müssen wie früher Feinde: alle. Trennende Bündnispolitik ist ihm verboten, nicht nur von einem geplanten Völkerbund, vor allem von seinem eigenen Interesse. Es darf, auf sich selbst zurückgeworfen wie es nun ist, und in der heftigsten Krise seiner Erneuerung begriffen, sich nicht sogleich wieder mit Absichten auf die wirtschaftliche Ausnutzung eines fremden Reiches belassen, das selbst, wie Rußland, aus schwerer Umwälzung noch unfertiger, fragwürdiger und empfindlicher hervorgehen wird als wir. Zuerst Wohlwollen, zuerst ein menschliches Gesicht statt der Grenze, ein Erkennen; und die Politik, die den Handel betrifft, folge künftig aus der, die den Menschen angeht. Chimäre noch gestern, heute seid ihr darauf angewiesen! Das Interesse Deutschlands wird Anständigkeit, Wohlwollen sein bestes Geschäft, und der größte Realpolitiker der sein, der sich einer Welt sympathisch macht. Hammer und Amboß haben für uns ausgedient; Schwächere, die sich beherrschen lassen würden, kommen nicht mehr in Frage, und auf uns soll keiner hämmern, dem wir nicht mehr als Raub- und Truggenossen, nur als Menschen begegnen, als Bürger der einen großen Staatenrepublik, die im Werden ist. Denn noch so viele Rückfälle und Aufenthalte können ihr Werden nicht abbrechen; und der Sinn unserer Niederlage will, daß gerade Deutschland sie fördere.

Wir sind sehr mächtig – und sind es nicht nur durch unsere Zahl und Kraft und weil Menschen höhere Wirtschaftswerte bergen als verlorene Erz- und Kohlenlager. Wir sind mächtig, weil heute für uns der Geist zeugt, wenn anders wir ihn von Herzen bekennen und unsere soziale Demokratie auf ihn taufen. Die Revolution, noch Unbelehrte, war nicht unnütz, wenn sie das wahre Deutschland, das verschüttet war, freilegt. Das wahre Deutschland, das, auf einer höheren Stufe der Weltentwicklung, nun wiedererstehen soll mit aller seiner Geduld, Einsicht und Gerechtigkeitsliebe, ist mächtig wie je. Als es am einflußlosesten schien, hat doch sein Geist für Jahrhunderte auf Erden mehr verändert, als das abgetane Kaiserreich auch nur für seine Spanne. Dieses verleugnete in seiner Politik, was von Deutschland Geist war. Die Schule der Politik, die öffentlich jetzt für uns begonnen hat, wird Deutschland gerade lehren, seinen Geist auf Zeit und Erde anzuwenden und klug zu handeln ohne Selbstaufgabe. Der Friede auf Erden und die Gerechtigkeit der Welt sind deutsche Gedanken, so gut es französische oder griechische sind. Die großen Gedanken des Menschengeschlechtes entsprießen unvertilgbar da und dort den Geistern der Völker. Über die weiten Grenzen Deutschlands gelangen alle Gedanken. Es sammelt sie, verstärkt sie mit dem seinen und bringt sie zuweilen denen zurück, die vergeßlicher oder weniger ausdauernd sind, – so wie andere jetzt ihm die Gedanken Kants zurückbringen. Sie haben drüben Frieden geplant und um Gerechtigkeit mit sich gerungen, zu einer Zeit, als wir sie nicht wollten. Es war vergebens durch ihre, unsere Schuld. Erinnern wir sie, mehr noch durch unsere Handlungen als mit Worten, immer wieder daran, daß nach ihrer eigenen Aussage die Zeit des nationalen Eigennutzes vorbei ist und nur noch das Interesse der Menschheit in Frage kommt. Ziehen wir alle Keime des Bessern ans Licht, bei ihnen wie bei uns. Glauben, um zu schaffen! Vergessen wir jenen Wilson nicht, blieb er in seinen Erfolgen auch noch so weit hinter seinem Gewissen zurück. Zählen wir getrost auf alle, die, sei es nur mit halber Aufrichtigkeit, unserer heutigen Vergewaltigung widerstreben: auf die Liberalen und Sozialisten in England, die Arbeiter und Intellektuellen Frankreichs, das Volk von Italien, auf jene Amerikaner, die wie ihr Oberhaupt fühlen. Viele dieser empfinden klarer als wir, die wir tief in den glühenden Schlacken unseres Zusammenbruches stecken, bei dem, was uns geschieht, die Entwürdigung aller. Bemitleiden wir sie, die so handeln müssen, nicht weniger als uns, die wir es erdulden. »Dein Krieg könnte aus lauter Niederlagen bestehen und dein Besieger gleichwohl der Verzweiflung nahe sein.« Sie werden, kraft der Gewalt, die sie uns antun, für eine Zeit nun selbst ihr verfallen und, im Innern nicht glücklicher als wir, bald vielleicht nicht einmal so frei wie wir sein: Frankreich, dem die sofort fühlbaren Grausamkeiten unseres Friedens zur Last fallen, und England, das die länger befristeten ausübt. Geben wir vor allem Frankreich die Würde und das edle Bewußtsein der menschlichen Gemeinsamkeit zurück, das nur die Versöhnung mit dem nächsten Genossen seiner Kulturwelt ihm sichert. Unser Zerwürfnis mit Frankreich war der Urgrund, auf dem alle erst Feinde wurden. An uns ist es, ihnen die Menschlichkeit zu erweisen, um die ihr

Sieg sie gekürzt hat. Niederlagen werden aufgehoben einzig durch den steigenden Menschenwert des Besiegten. Der Geist unserer Demokratie könnte uns selbst erretten, und, wer weiß, auch die Welt.

Die Verantwortung jedes einzelnen von uns ist ungeheuer; vergebens würde jemand sie fliehen wollen, weil er zu klein sei, oder sie verschmähen, weil er sich zu groß dünkt. Selbst ein Geist, der über die Welt hinweg, im Ewigen zu planen dächte, führt die Stoffe seines Zeitalters mit, und die Frage ist, ob der Äther der Ewigkeit ihn rein genug finde. Das Mal des Kaiserreiches auf seinen Geistern waren Verfälschtheit und Dünkel. Sie hielten zu viel auf ihre sinnvolle Erhabenheit, um in die Niederungen des Tages sich hinabzulassen, gar mit zu kämpfen, politisch, wie ein Eintagsmensch. Auch wäre dies nicht das Gesetz Betrachtender, Gestaltender. Nur die vollkommene Geistwidrigkeit eines Zeitalters wie des abgetanen Kaiserreiches hat manchen für Kämpfe verpflichtet, die zu beenden das Ersehnteste wäre, was die Demokratie ihm gewähren möge. Nicht sie will ein solcher besitzen: nur sich selbst; und wie nur einer will er, leidenschaftlich der Welt zu- und abgeneigt, sie geißeln oder anbeten im Sinngedicht seiner selbst. Geister sollen fortan weder kleiner noch weltlicher werden; in die Steuergesetzgebung werden sie nicht eingreifen müssen; und nicht einmal Anerkennung verlangt von ihnen die Demokratie. Sie erkennt sie zuerst selbst an: da werden freilich einmal auch die deutschen Geister erfahren, was es heißt, nicht mehr fremd und wie ein Wunder dabeizustehn, ja, die Welt zum Freund zu haben und einmal doch, wenn noch so kurz, ihre Summe und höchste Rechtfertigung zu sein. Kein Geist, der es sich nicht gewünscht hätte, wenn noch so kurz.

Denn dies dauert nicht. Das Einverständnis mit der Welt, wer zweifelt, daß es im Leben des Geistes die Ausnahme sei. Hört er erst auf, ein Fluch und Vorrecht zu sein, so fehlt nur eine Strecke und er würde gemein. Dann trennen die Wege des Geistes und der Welt sich aufs neue. Dem Geist befreundet, wird die Demokratie Geister gebären, die sie töten werden, nur weil sie sie überragen. Sie ist der Zweck des Lebens nicht, es hat den einen Sinn, Geist zu werden. Gewinnt durch einige nur er, werden durch sie auch die vielen gewinnen. Nichts hindert, zu hoffen, daß in dem redlich und wahr sich mühenden Deutschland des kommenden Lehr- und Prüfungsalters aus gesammelter Volkskraft Helden des Geistes entkeimen, Beherrscher einer Zeit, die nicht mehr trennt, was eins sein sollte: Macht und Weisheit.

Tragische Jugend

Bericht nach Amerika über Europa

I

Wer jetzt reist, kann in fast jedem der europäischen Länder die auffallendsten Dinge erleben. Zum Beispiel zieht durch die Hauptstraßen irgendeiner italienischen Stadt ein Trupp junger Leute in eleganten schwarzen Blusen. Sie tragen eine Fahne voran und bewegen sich ganz öffentlich. Vor einem bestimmten Hause angelangt, stecken sie es in Brand. Niemand hindert sie daran. Man kennt dies unter dem Namen des Faschismus. In Berlin sitzt der fremde Besucher nichtsahnend im Auto, da wird es auch wieder von einem Trupp junger Leute umringt, nur sind sie weniger elegant und ihre Fahne ist rot. Sie zwingen jeden, der ihnen in die Hände fällt, die rote Fahne zu grüßen. Dann versuchen sie, wenn auch vergebens, das Polizeipräsidium zu erstürmen. Dies war kommunistische Jugend. Kommt der Gast nun etwa nach Irland, so kann er bei einigem Glück mitansehen, wie die englischen Soldaten um die Hausecke herum erschossen werden, und zwar von Sechzehnjährigen, von Vierzehnjährigen. Dies ist das Lebensalter, in dem die meisten Sinnfeiner stehen. Mittlerweile haben in Berlin mehrere junge Leute der angesehensten Klasse einen Minister ermordet. Sie taten dies in der Hauptstraße des vornehmsten Villenviertels, in einem schönen Auto sitzend, praktisch gekleidet und sorgfältig ausgerüstet mit Handgranaten und was man für moderne Mordanschläge benötigt. Sie heißen übrigens »national«.

Jugend, überall Jugend, – und dies ist nicht gerade verwunderlich, wenn es sich um Taten solcher Art handelt; denn sie erfordern körperliche Gewandtheit, sicheres Schießen, rasches Davonlaufen. Aber warum geschehen die Taten? Weil in allen diesen Ländern der größte Teil der Jugend eine extreme Gesinnung hat. Ganz gleich welche, nur extrem muß sie sein.

Keine Jugend schließt gern Kompromisse, die heutige aber geht über Leichen, wörtlich verstanden. Sie besinnt sich nicht lange, sie kennt die Wahrheit, und für ihre Wahrheit muß jemand sterben, am liebsten der andere. Diese Jugend hat, wenigstens in Deutschland, meistens keine von geistigen Mühen geprägten Züge, sondern glatte, selbstsichere Gesichter, die nicht wissen, was zweifeln heißt, oder aber wildzerrissene, an Verzweiflung gewöhnte. Die Jungen wollen weder das Leben, das sie haben, noch die Gesellschaft, wie sie ist, länger ertragen. Alles muß geändert werden, auch gegen den Willen der Mehrheit, besonders aller Älteren. Die jungen Deutschen oder ein Teil von ihnen, wie auch ein Teil der anderen jungen Europäer sind also das Gegenteil von Demokraten oder Relativisten, sie sind Absolutisten. Unweigerlich folgen sie denjenigen Führern, die ihnen den stärksten Willen zu haben scheinen und am gründlichsten alles zu ändern versprechen. Ihr Führer ist Ludendorff, ein Mann, der das Denken nicht liebt und im Handeln bekanntlich nicht durchweg glücklich war. Ihr Führer ist auch Hölz, ein Kommunist ohne regelrechte Bildung, aber von merkwürdig klarem und entschlossenem Geist. Einige Zeit beherrschte er eine kleine Provinz mit Waffengewalt, hatte dann dasselbe Unglück wie Ludendorff, besiegt zu werden, und sitzt dafür jetzt im Zuchthaus.

Man muß einräumen, daß die Anhänger Ludendorffs und die Anhänger Hölz' einander als Feinde, ja, als ganz unmögliche Menschen behandeln. Dies würde aber sicherlich nur solange dauern, bis sie einmal die Gelegenheit bekämen, gemeinsam über die bürgerliche Gesellschaft herzufallen. Der Haß verbindet sie. Die Geistesart der einen ist auch die der anderen. Sogar der einzelne junge Mensch schwankt oft zwischen den beiden Extremen.

Jeder kann diese Behauptung aus seinen persönlichen Erfahrungen beweisen. Ich kannte 1914 einen Knaben, Franz genannt, der für die Sache seiner Heimat begeistert war wie je ein Knabe. Einen politischen Standpunkt hatte er nicht. Er bebte nur vom Tatendrang. 1915 endlich durfte er ins Feld ziehen. Er kämpfte, ward verwundet und nach Haus befördert. Jetzt haßte er jene, die den Krieg beenden wollten, durch diesen Haß wurde er zum Parteimann. Manchen politischen Gegner wünschte er an die Wand zu stellen. Auch sein kriegerischer Tatendrang war keineswegs gestillt. Er wurde aber nur noch in die Etappe geschickt. Wohin geriet er, als das Heer sich auflöste, und beim Eintritt jenes Personalwechsels, der immerhin eine Art Revolution war? Ich wußte es nicht.

Nun ereigneten sich in der Folge der Revolution die nur lokalen, übrigens unglücklichen Versuche einer proletarischen Klassenherrschaft, die weit übertrieben Bolschewismus hießen. Arme Leute, die im Krieg die gequältesten gewesen waren, machten sich aus öffentlichen Mitteln einige gute Tage. Was geschah weiter? Nicht einmal das Telefon war gesperrt, geschweige die Banken. Einer der reichsten Männer des Landes rief mich in jener Zeit telefonisch an, er wolle zu mir kommen. Ich riet ihm ab; er war eine auffallende Erscheinung, ein dicker Mensch mit Krücken. Nein, er wollte unbedingt kommen, drei Treppen hinauf mit seinen Krücken. Also gut. Wir Schriftsteller waren vorübergehend eine vielbeachtete Klasse von Mitbürgern geworden, oft traute man uns einen besonderen Einfluß auf die Ereignisse zu.

Der Reiche kam, setzte sich an meinen Teetisch und erklärte ausdrücklich, daß er ungern sein Geld verlieren würde. Ich begriff, daß ein Krüppel wenigstens Geld haben wollte, und suchte ihn zu beruhigen. Umsonst, er überlegte schlaue Mittel, in den Besitz von Gold zu gelangen, für den Fall, daß das Papiergeld für ungültig erklärt würde ... Da wurde ein junger Soldat gemeldet, er saß sogar schon in dem dunklen Nebenzimmer. Es war Franz, der Freiwillige von 1915.

Er war in einer vernachlässigten Uniform, das Haar hing wirr in die Stirn, die bleich und schmerzlich verzogen war, und über die Augen, die finster flammten. Er sprang vom Stuhl auf. »Ist es dies, wofür wir gekämpft haben?« war sein erstes Wort. Er bewegte sich durch das Zimmer, zuckend vom haltlosen Kampf der Seele. Seine Kameraden ekelten ihn an, ihr Treiben sei schändlich, es sei ohne Zucht und ohne Idee. Ich suchte auch ihn zu beruhigen, und es war wieder umsonst. Nein, einer so vertretenen Sache könne er nicht länger dienen, er stehe vor dem Zusammenbruch der Ziele, um die er so lange Jahre gekämpft habe. »Welcher Ziele?« fragte ich den Freiwilligen von 1915, »die Kriegsziele sind freilich zusammengebrochen«. – »Was mache ich mir aus ihnen«, rief er, »ich bin Kommunist. Ich ward es schrittweise, seit ich die Etappe kenne. Aber jetzt treiben es die Kommunisten noch ärger als früher die Etappe. Sie geben uns den Rest, der nationale Untergang ist besiegelt. Ich will retten, was zu retten ist, ich trete in ein Freikorps ein.« Das hieß, daß er von Hölz zu Ludendorff überging. Wie er fortstürmte, streifte sein flammender Blick die fetten weißen Wangen des reichen Mannes. Was hat er dann im Freikorps erlebt? Der arme Franz war den Anforderungen, die dort an ihn gestellt wurden, nicht mehr gewachsen, denn er hatte Gewissen. Er beging Selbstmord. Er war einer der besten.

II

Welchen Weg gehen andere, bis sie in ein Freikorps oder eine geheime Vereinigung zum Sturz der Republik gelangen? Es gibt mehrere Wege, aber angenehm und erfreulich ist selten einer. Der Leutnant Hans z. B. hatte eigentlich Besseres vor. Er hatte im Garnisonsdienst das schönste Leben gehabt, aber als der Krieg aus war, sah er ein, man müsse vernünftig werden und arbeiten. Da zeigte sich bald, daß alle Stellen längst besetzt waren, man mußte besondere Fähigkeiten nachweisen, und dies konnte Hans nicht. Er war eingezogen worden, bevor er fertig studiert hatte. Er lebte daher unregelmäßig von einigen kleinen, nicht beglaubigten Talenten, gab den Typ für einen Film oder verkaufte eine Ware weiter, von der er nur reden gehört hatte. Genug, er war, was man »Schieber« nannte. Aber er nahm dies Schicksal nicht leicht genug. Er regte sich zu sehr auf, Mißerfolge fanden ihn ungewappnet.

Nun hörte er einst von einem ganz besonderen Geschäft, einer gewissen Menge Radium, die jemand in Rumänien erbeutet haben sollte. Der erste, der ihm von dem verbotenen Handelsobjekt sprach, hatte die Nachricht von einem anderen, dieser von einem dritten, und so durch eine lange Reihe. Hans ließ nicht nach, er fuhr von einer Stadt in die andere, jeder Spur nach; fand zwar noch immer nicht das Radium, machte aber ungeahnte Erfahrungen. Die Leute beteuerten ihm Dinge, die sie nicht wußten. Sie taten es der Provision wegen, oder auch nur aus Freude am Lügen. Der ehemalige Leutnant verirrte sich in dieser bürgerlichen Welt wie im Urwald. Aber er hatte sich geschworen, hindurchzukommen.

Einmal sollte das Radium in einem gewissen Hof eines gewissen Hotels versteckt sein. Der gelieferte Plan kostete Geld, aber jetzt hatte Hans schon Geldgeber zusammengebracht, ehrbare Bürger, die von dem Verbotenen angelockt wurden. Sie hofften Berge von Geld durch Hans zu verdienen, und einen kleinen Hügel wollten sie ihm abgeben. Wie konnte man unauffällig in jenen Hof gelangen? Hans rüstete seine Geldgeber als Filmtruppe aus, auch ein Operateur mit Apparat war dabei. So zogen sie in das Hotel und fragten zuerst nach etwas, das sie gar nicht interessierte, nach einem Festsaal, in dem sie filmen wollten. Nur ganz beiläufig fragten sie: »Gibt es nicht bei Ihnen einen etwas dunklen Hof, durch den ein Bach fließt?« – »Das haben wir«, sagte der Hoteldirektor. Als sie endlich in dem Hof allein waren, fanden sie wohl die Öffnung des Kanals und auch den lockeren Stein, nur das Radium nicht ... Erst später traf Hans in dem Café einer anderen Stadt einen Gast, der nach langem Zögern zugab, er sei der Besitzer des Radiums. Es bedurfte noch dreier Fahrten dorthin, dann erst zeigte dieser Mann unter dem Tisch den silbernen Zylinder, der die Millionen enthielt.

Bevor der Inhalt geprüft wurde, mußte eine Garantie erlegt werden. Dann die Rückfahrt, nachts, mit einem Freund, und keiner wagte einzuschlafen wegen des Schatzes, den sie hüteten. Endlich beim Chemiker: alle Geldgeber versammelt mit Hans. Die silberne Hülle fällt, dann eine aus Samt, dann eine aus Blei. Atemlose Spannung, Hans muß sich setzen. Und es erscheint ein Glas, worin Sand ist. »Sie sind düpiert worden, meine Herren«, erklärte der Chemiker ... Hierauf trat Hans in ein Freikorps ein. Die Freikorps sind vielfach Asyle derer, denen das heutige bürgerliche Leben zu schwierig und zu schwer verständlich erscheint. Hans, dem es mißglückt ist, trifft dort auf Franz, der nicht mochte.

Auf der Gegenseite, bei den Kommunisten, begegnen sich dieselben. Auch hier wieder die Unternehmenden und die Gewissenhaften. Zuweilen ungeahnte Mischungen aus beiden. Ein junger Angestellter hat im Krieg ein Geschäft fortgeführt, dessen Besitzer eingezogen worden war. Er hat die vorhandenen Verbindungen benutzt, um selbst zu verdienen. Er selbst wurde reich, das Geschäft aber blieb klein; und als der Besitzer zurückkam, setzte sein früherer Angestellter ihn hinaus. Dieser junge Mann nun findet, daß er die Namen Kommunist und Revolutionär verdiene. Auf seine Art hat er dem Kommunismus wohl auch Beweise geliefert. Er hat an der Entsittlichung der kapitalistischen Gesellschaft nach Kräften mitgeholfen und verachtet sie seitdem.

Aber gegen einen Führer einer »roten Armee« ist ein tagelanger Prozeß geführt worden, sein ganzes junges Leben ward um und umgewendet, und nicht ein Fleckchen fand sich. Ein alter Journalist, der dabei war, sagte weinend, von heute ab wollte er ein anständiger Mensch werden. Dieser junge Führer hatte der Bewegung, an deren gutem Ausgang er mit Recht zweifelte, dennoch das Opfer seines Daseins gebracht – wohl auch, um zu handeln und gesehen zu werden, aber vor allem doch, damit eine schöne Idee, eine höhere Menschlichkeit der Bewegung erhalten bliebe und sie nicht ins Gemeine sinke, wenn nur Gemeine dabei wären.

Dieser sitzt jetzt im Gefängnis und schlechtere gehen frei umher. Bis vor kurzem hat die kommunistische Jugend mit ihren Taten mehr gewagt als die nationalistische. Erst jetzt wird es auch für diese manchmal gefährlich. Attentate werden jetzt nicht mehr verzeihlich gefunden. Früher galten nur Aufstände als unverzeihlich. Aufstände sind meistens von den Kommunisten gemacht worden, Attentate immer nur von den Nationalisten. Der größte Teil der Öffentlichkeit hat jetzt angefangen, die Attentäter feig zu nennen, weil sie nach vollbrachter Tat flüchten. Man muß aber auch bedenken, daß diese jungen Offiziere ihr eigenes Leben grundsätzlich für wichtig halten und das des Getöteten für unwichtig. Daher kommen sie sogar in die Lage, als bestochene Mörder zu gelten, nur weil sie Geld für den Mord nahmen. Aber sie waren nun einmal verpflichtet, ihr Leben, das eben wichtig war, zu erhalten. Die Kommunisten haben es wesentlich leichter, sich zu opfern, denn die ehrlichen bilden sich ein, daß sie weder für sich selbst noch für eine bevorzugte kleine Klasse kämpfen, sondern für alle.

Dies alles geht in sehr jugendlichen Köpfen vor sich. Es ist unmöglich, sie selbst voll verantwortlich zu machen. Man muß unbedingt berücksichtigen, in welche Welt sie hineingeboren sind, und was für Väter sie haben. Sogar die offenbaren Schändlichkeiten, die diese Jugend zuweilen verübt, dürfen uns nicht abschrecken, zu fragen, wie sie dorthin gebracht wurden. Ein Reisender, der einer der angesehensten deutschen Gelehrten war, saß in einem Florentiner Restaurant, als eine Anzahl junger Herren eintrat, um eine Mahlzeit zu bestellen. Er erzählt, daß die jungen Herren in eleganten schwarzen Blusen besonderen Wert auf eine sorgfältige Zubereitung legten, sie ließen dem Wirt Zeit, gingen erst noch fort und töteten einen ihrer Gegner. Dann kamen sie wieder und verzehrten fröhlich das inzwischen angerichtete Essen. Die anderen Gäste blickten nicht von ihren Tellern auf. Der Kellner flüsterte, von Haß und Angst bebend, dem Fremden zu, was geschehen war ... Wenn aber ein Deutscher sich freuen möchte, daß wenigstens dies nicht in seinem Land geschehen ist, muß er sofort an den sechzehnjährigen Schüler erinnert werden, der die erste Anregung gab, den Minister Rathenau zu ermorden. Und in welchem Augenblick teilte er seinen Freunden mit, daß die Tat geschehen sei? Beim Tennis.

III

Wie ist es überhaupt gekommen, daß die Jugend und fast schon das Kindesalter so sehr im Vordergrund der öffentlichen Begebenheiten stehen kann? In demselben Lebensalter fürchteten doch sonst die Jünglinge die nächste Schulprüfung und noch mehr das spöttische Lachen der kleinen Mädchen. Sie warteten früher, um ihre Ansichten zu äußern, zumindest, bis sie mündig wurden und das Wahlrecht bekamen. Wählbar waren sie auch dann noch nicht. Heute erteilen sie sich selbst sowohl Aufgaben wie Rechte.
Denn sie haben den Krieg erlebt. Sie haben mitgekämpft oder wenigstens mitgelitten. Daraus ergeben sich nach ihrer Meinung sowohl Rechte wie Aufgaben. Wer als Kriegsteilnehmer nicht zu jung war, das Geschick des Landes mit auf seinen Schultern zu tragen, wird auch jetzt alt genug sein, es mitzubestimmen. Und zweitens, wer zu seiner Rettung immer nur sich selbst hatte – zuerst im Kampf draußen, jetzt im nicht weniger erbitterten Kampf um den Erwerb, was wollen Ältere den noch lehren. Welches Recht haben sie auf ihn. Das Selbstbewußtsein der Jungen und ihre Eigenmächtigkeit

stammen aus dem Krieg. Hinzu kommt in den verarmten Ländern der Zwang, schnell durchzudringen, um nicht zu verhungern.

Die Jugend ist am gereiztesten in den Ländern, die den Krieg verloren haben, wie Deutschland, oder die sich im Grunde fast so fühlen, als hätten sie ihn verloren, wie Italien. Das ältere Geschlecht, das die Führung hatte, hat unglücklich geführt. Man macht ihm dies klar, man nimmt nicht mehr ohne Kontrolle hin, was es tut. In den Ländern Europas, die gesiegt haben, kann das ältere Geschlecht noch auftrumpfen. Es scheint freilich, daß sogar dort ein großer Teil der Jugend den Sieg mit zweifelnden Augen betrachtet und die von ihr selbst gebrachten Opfer zu teuer findet. Aus den Besuchen, die die jungen Intellektuellen anderer Länder hier bei uns machen, weiß ich, wie sie über die führende Generation ihrer Länder denken. Die Älteren stehen, ob mit oder ohne ihr Verschulden, überall unter einem gewissen Verdacht. In gewissen Einzelfällen befinden sie sich offen im Zustand der Verteidigung ... Aber ich habe es mit den am meisten leidenden Ländern zu tun. Hier ist unbestreitbar, daß die Jugend haßt. Sie haßt, anstatt zu verstehen, – und dies ist die verdiente Strafe der Väter, denn sie lehrten sie es selbst. Sie lehrten ihre Kinder Vorurteile und Leidenschaften.

Die vor und im Krieg herangewachsene Jugend ist mit Haß gespeist worden anstatt mit Liebe, mit Schlagworten anstatt mit erlebter Bildung. Nicht einmal zum Lernen ward ihnen Zeit gelassen. Nur zur Oberflächlichkeit ausgerüstet, sind sie nach irgendeiner Notprüfung dem tiefen und furchtbaren Schicksal des Krieges überantwortet worden. Sie haben es bestanden wie ein Abenteuer, nur selten wie ein läuterndes Schicksal. Oberflächlichkeit ist nicht zu läutern. Die tiefen Naturen sind die verzweifelten. Die anderen kehrten zurück mit der Gewohnheit zu abenteuern, dem Hang nach Aufregungen, mit einem unbeirrbaren Selbstbewußtsein. Sie kehrten zurück mit Unbildung, Leichtsinn und einer merk-

würdigen Härte und Unberührtheit. Wer an eine früher ge-
kannte mitleidige und nachdenkliche Jugend zurücksinnt,
kann die Entschlossenheit und Unberührtheit der heutigen
nur bestaunen. Kein Schwanken, kein Zweifeln, was zu tun
ist. Sollte einer von ihnen den geschehenen Mord verurteilen,
tut er es keinesfalls aus sittlichen Bedenken, sondern weil der
Mord politisch unklug war.

Nun, sie haben zu viele sterben gesehen, die ebenso unschul-
dig waren wie irgendein Ermordeter. Sie selbst, die doch auf
ihr Leben das volle Anrecht hatten, waren oft in Gefahr, es
einzubüßen. Sie haben meistens gedarbt, haben einen be-
trächtlichen Teil ihres Lebens, das nicht wiederkehrt, in völlig
nutzlosen Anstrengungen vergeudet, und sind inzwischen
verarmt oder arm geblieben, indessen andere reich wurden.
Die zum Kämpfen noch zu jung waren, sind unterernährt
aufgewachsen, auch ihre Familie verarmte. Alle zusammen
bilden eine natürliche Sturmkolonne gegen die heutige Gesellschaft der neuen Reichen. Sie haben nur den Eigennutz
dieser Gesellschaft an sich erfahren; was immerhin da ist an
Gesittung, höheren Kräften, die frei zu werden streben, das
sehen sie nicht, sie sind nicht geübt worden, es zu sehen. An
langsame Besserung glauben sie nicht. Ihr Erleben verweist
sie auf Katastrophen.

Schnell alles umwerfen, sei es, um den alten Militärstaat
wiederaufzurichten oder den Kommunismus auszuprobieren.
Nur schnell den Boden beseitigen, auf dem die Älteren sich
mühsam gerade noch aufrecht erhalten. Kein Zweifel, sie
wollen ihnen ans Leben, was nicht nur Redensart ist. Die
Älteren aber haben ein schlechtes Gewissen. Ob sie es eingestehen oder nicht, sie haben an dieser Jugend nicht so gehandelt, wie sie gesollt hätten. Darum können sie sich jetzt nicht
wirklich empören. Ihre Empörung klingt hohl. Es ist schwer,
mit den Söhnen auszukommen, dennoch wagen die Väter
von Züchtigung höchstens zu sprechen, und sie kommt nie.
Alle Kundgebungen, Proteste, Drohungen, Taten der Jungen

richten sich gegen die Älteren und ihre Art zu leben, aber die Älteren nehmen alles sorgfältig zur Kenntnis und gewähren den Jungen nur noch mehr Spielraum. Bei den Schüssen, die fallen, runzeln sie die Stirn, warten aber dann einfach auf den nächsten. Was sollten sie tun? Es ist nun so gekommen mit ihnen und den Kindern.

Ihre Kinder haben bescheidenes, geduldiges Arbeiten nicht gelernt. Wenn sie nicht Politik treiben, sind sie doch ebenso bedenkenlos und großzügig als Geldverdiener. Die täglichen Aufregungen einer wild und anarchisch gewordenen Wirtschaft kommen diesem Geschlecht gerade gelegen. Die kleinen Zahlen sind hierzulande vergessen. Kürzlich Erwachsene wollen sich tatsächlich nicht erinnern, daß das tägliche Brot einmal um Pfennige für jeden da war. Die große Zahlen-Rutschbahn, in der die Älteren panikartig dahinsausen, die Jungen sind darin zu Hause. Sie können die Alten etwas lehren, finden sie übrigens willig, zu lernen. Bald gibt es keinen Unterschied mehr, alle zusammen sausen immer leichtsinniger dahin. So oft der Preis eines Industrieerzeugnisses gewaltsam hinaufschnellt, erfährt man, daß Unternehmer und Arbeiter bei Lohntarifverhandlungen sich darüber geeinigt haben. Die großen Zahlen scheinen diesem Geschlecht zu schmeicheln, beim Ausgeben so gut wie beim Einnehmen. Es zahlt sie sogar ohne erkennbare Notwendigkeit für die einheimischen Lebensmittel und darum auch für alles übrige. Das Erraffte ist sofort wieder dahin. Das gestern angeschaffte Auto des jugendlichen Spekulanten wird morgen weiterverkauft. An den teuren Vergnügungsstätten tanzen heute andere junge Leute als gestern. Geldverbrauch, Menschenverbrauch. Riesiger Umsatz und kein Nutzen.

Nicht weniger eilig als die Söhne haben es die Töchter, alles aus sich herauszuholen, was sie irgend wert sind. Auch sie lehrte es zunächst der Krieg, der sie in die Fabriken oder in die Bankhäuser schickte. Von der Herstellung der Munition bekamen die Mädchen des Volkes gelbe Haare. Sie arbeiten jetzt weniger, aber erstaunlich viele der ehemals kostbaren Pelze kleiden sie jetzt. Die Töchter des Bürgertums nehmen in allen Ländern sich neue, männliche Freiheiten heraus. Arme italienische Väter, die ehemals ihre Töchter hinter geschlossenen Fensterläden gefangen hielten! Die Mädchen öffneten die Läden heimlich so weit, daß sie hinunterspähen konnten nach dem Treiben der wild schweifenden Männer, denen die Straße gehörte. Sie selbst durften sich öffentlich und allein nicht blicken lassen, ohne im Namen der guten Sitten ausgepfiffen zu werden. Heute tragen sie den Kopf hoch, sie sollen sogar Liebhaber nehmen. Für diese Jünglinge und Mädchen gibt es nur das Heute. Sie sind so jung und doch des morgigen Tages nicht sicher. Wie aber das Morgen, wenn es ein Morgen gibt, aussehen sollte, darüber holen sie am wenigsten die Meinung der Älteren ein; die Älteren haben bei ihnen verspielt.

So unzugänglich jeder Autorität war keine Jugend. Respektlosigkeit ist ihre Natur. Sie mißt sich mit Genugtuung an allen, die vor ihr kamen, an allem, was schon geleistet wurde. Hierfür sind typisch die jungen Intellektuellen. Mit jedem dieser literarischen Anfänger fängt die Welt an. Neunzehnjährig hat er die ganze Lebensarbeit seiner Vorgänger mühelos überwunden und schafft sie ab. Sie sind gerade gut genug, ihm hinauf zu helfen. Wenn er ihnen schmeicheln muß, nennt er sie seine »Vorkämpfer«. Schnell und unbedenklich zu handeln, ist die Losung im Geistigen, wie beim Erwerb. Sie haben Praktiken, wie früher höchstens nur die erfolglos Gealterten. Ein junger Dramatiker nimmt die Freundschaft eines älteren Kollegen an, läßt den Freund bei den Theatern und den Verlegern für ihn werben, läßt ihn die Aufführung seines Stückes durchsetzen und es in der Zeitung rühmen. Ja, er wohnt bei ihm und ißt an seinem Tisch. Dann geht er und verkündet, der Ältere fürchte ihn und sein Talent. Aus Furcht nur fördere er ihn.

Das ältere Geschlecht aber nimmt die hemmungslose Betätigung der Jungen genau so im Geistigen hin wie überall. Es geht zahlreich ins Theater, um ein Stück über das beliebteste, immer wieder behandelte Thema der Jungen, den »Vatermord«, zu sehen, und es klatscht Beifall.

IV

Diese tragische Jugend hat Väter, die sie, nach dem Wort ihres Kaisers, »herrlichen Zeiten« entgegen geführt haben und an dem dumpfen Gefühl eines verfehlten Lebens leiden. Aber auch sie selbst ist wohl nicht immer so hochgemut, wie ihr lärmendster Teil vorgibt. Man beurteilt eine Epoche zu schnell, wenn man sie nach denen beurteilt, die den Vordergrund des Bildes einnehmen. Dahinter versteckt sich eine große Menge, die vielleicht weniger wohlgelungen im Sinn dieser Zeit, für künftig doch etwas anderes, besseres verspricht. Die meisten der noch ungeklärten jugendlichen Herzen werden dem Wesen des lärmendsten Teiles der Jugend im Grunde fremd sein. Nicht zu reden von den stärksten Köpfen.

Jugend ist zu allen Zeiten problematisch. Sie hat Begeisterung und ein Vorgefühl von Kraft, aber noch nicht die Kraft selbst. Sie möchte sich an eigenen Leistungen berauschen und kann nur erst träumen. Wenn sie Taten begeht, sind sie verfehlt; wenn sie Bücher schreibt, werden sie nicht gut. Ihre Ohnmacht vor dem Leben, das sie mit den Augen zu entkleiden versuchen und doch nicht besitzen dürfen, macht die Jungen oft recht unglücklich, und ungezählte Jugendtage vergehen leer.

Und nun dies schwankende Lebensalter in eine Welt ohne Halt und Tiefe geworfen, verurteilt zu einem Dasein wie in einem alten Abenteuerroman! Denn wenigstens hierzulande müssen wir schon an Romane wie die von Balzac denken, um Lebensformen wiederzufinden, wie jene, die jetzt die unseren geworden sind. Wir glaubten doch einst, wir, die schon da waren, wir seien hinreichend gesicherte Existenzen, und die Gesellschaft empfanden wir trotz allen ihren Härten als leidlich wohlmeinend. Jetzt aber steht jeden Morgen für jeden von uns die Lebensfrage neu da; und die Gesellschaft ist tatsächlich das dunkle Durcheinander böser Kräfte, das wir sonst für erdichtet hielten. Wie wird da ein armer Knabe sie fühlen?

Der Handelnde wird wie im Krampf handeln. Um jeden Preis nur handeln und niemals fragen, wohin es geht. Geschrei und Drauflosschlagen übertäuben die heimliche Ziellosigkeit und Wirrheit. Sie übertäuben sowohl das eigene Gewissen wie auch die Stimmen derer, die klären und helfen möchten. Wir werden nicht gehört von denen, die mit sich selbst schon im reinen und dem ganzen Leben gewachsen zu sein meinen. Unser Glaube an die Jugend beruft sich auf jene anderen, die ein Gefühl vervielfachter Verantwortung jedes einzelnen Wohlgeratenen für seine überlastete Mitwelt haben. Die sich keusch zurückhalten und an sich arbeiten, bevor sie an anderen arbeiten wollen.

Diese sind da, weil sie da sein müssen, und weil sie in Zeiten da waren, die den unseren glichen. Bei Balzac erscheinen nicht nur die vorschnellen Abenteuer, auch die still Leidenden lassen sich zögernd vernehmen. Einer von ihnen, Louis Lambert, spricht:

»Warum habe ich ungeheure Fähigkeiten, ohne sie nützen zu können? Wenn meine Marter etwas hülfe, würde ich sie begreifen; aber nein, ich leide im Verborgenen. Hier in meiner Dachstube bringe ich Gedanken hervor, und niemand erfaßt sie. Gestern aß ich Brot und Trauben, abends an meinem Fenster, mit einem jungen Arzt namens Meyraux. Wir unterhielten uns wie Leute, die das Unglück verbrüdert hat, und ich sagte zu ihm: Ich gehe, du bleibst. Nimm meine Entwürfe und mach etwas daraus! – Ich kann nicht, antwortete er bitter und traurig, meine Gesundheit ist zu schwach, meinen Arbeiten wird sie nicht standhalten, ich muß jung und im Kampf mit dem Elend sterben.«

Aber gerade diese sollten nicht sterben. In Fällen, wo sie nicht sterben, kommen sie oft weiter als jene Vorschnellen. Eine zweiflerische Jugend ist im Grunde mehr wert als eine allzufrüh mit sich fertige, vor der gebahnte Wege liegen. Die großen Aufgaben des kraftvollen Lebensalters werden oft empfangen in jungen Herzen, die an ihre Zukunft kaum glauben. Sie vollenden sie eines Tages dennoch. So war es von jeher. Ungeheure Katastrophen hinterlassen jedesmal die gleiche Menschenart. Die Kriege Napoleons hatten dasselbe menschliche Ergebnis wie unser Krieg. Der Ort der größten Depression war damals Frankreich. Dort entstand der Typ des banalen und dreisten Lebenskämpfers, den Balzac in Rastignac festgehalten hat, neben dem schmerzensreichen seines Louis Lambert. Noch ein dritter entstand: der Soldat Napoleons, der die ganze Tatkraft des kriegerischen Zeitalters in sich aufspeicherte, sie dann aber auf Geistiges anwandte. Das Vorbild ist der ewig lebendige Mensch und Schriftsteller Stendhal. Er kämpfte siebzehnjährig mit Bonaparte in Italien, und er kämpfte sein Leben lang in allem was er schrieb für mehr Aufrichtigkeit, Klarheit, freieres Menschentum.

Ich will noch hoffen, daß auch unsere Welt und vor allem das heute am meisten leidende Land, das meine, durch die Kraft des Geistes gerettet werden und fortleben wird. Wenn die ersten Folgen der Katastrophe überwunden sind, möge sich zeigen, daß unser Geist auf allen Gebieten menschlicher Tätigkeit schwungvoller und klarer geworden ist als früher. Wir brauchen kein Mitleid, viel eher Verständnis. Die Prüfungen, die die Welt uns auferlegt, werden uns stärken. Wenn wir die Folgen unserer Niederlage ganz zu Ende getragen haben werden, ist schon eine Jugend am Werk, die heute noch in Verborgenheit, Zweifel und Not ihre Aufgaben entwirft.

Man hatte dem alten Europa keine Erneuerung seiner kulturellen Kräfte mehr zugetraut. Der Untergang des abgelebten Abendlandes war sogar mitten unter uns für viele ein Dogma geworden. Mir scheint, das Dogma wird jedenfalls widerlegt durch die ungeahnte Aktivität, sei sie übrigens erfreulich oder nicht, die heute im ganzen Weltteil die Jugend bewegt. Das ist nicht Sterben, es ist ungestümes Lebenwollen. Geduld! Die jungen Schreier werden nicht lange schreien, die Wüteriche nicht lange wüten. Die Verzweifelten werden es nicht bleiben. Die edlen Naturen, die selbst heute im Gesamtbild nicht fehlen, werden endlich durchdringen; und wenn die Wolken blutigen Staubes, die eine streitbare Jugend erregt, sich verzogen haben, wird die Jugend der Arbeit und des Gedankens sichtbar werden.

Berlin

»Wirtschaft« 1923
Mai 1923

Der europäische Geist hatte während des Daseins derer, die jetzt Fünfziger sind, einen glücklichen Augenblick, es war 1890 und noch einige Jahre nachher. Die 1870 Geborenen traten in die Welt ein, und viele von ihnen brachten geistige Bedürfnisse mit, die vielleicht nur einmal in solcher Reinheit vorgekommen sind. Sie liebten soziale Gerechtigkeit, Völkerfrieden, das auf Vernunft zu errichtende Menschenglück, und sie glaubten daran. Sie waren Utopisten, die von der Natur und ihrer Bitternis erlernten, es zu sein.

Ihre Meister wirkten erweiternd, befreiend; Nietzsche gegen die Vaterländer, für Europa, Zola für Dreyfus und von jeher für die Wahrheit, Ibsen für geistige Befreiungen, Tolstoi gegen Krieg. Nichts anderes bestand für die Jungen, sie sahen es nicht einmal. Das Enge, Rückwärtsgewandte hielten sie für keine Gefahr mehr. Gemäßigte Geister sogar glaubten damals die Zivilisation gesichert, das Leben besänftigt, die Luft zu atmen gut. Sie waren nicht weit entfernt, zu meinen, so werde es bleiben, die ganze Spanne ihres Daseins. Welche Enttäuschung! Dies war nur der Ruhepunkt genau in der Mitte zwischen zwei Kriegen.

Gleich darauf griff der Nationalismus ein, man weiß mit wieviel Glück. Er war das rechte Mittel, den Menschen zu bewahren vor den bekannten Gefahren einer falschen Humanität, – denn für Nationalisten ist Humanität immer falsch. Was sonst da war, zog nicht. Der Monarchismus war gerade dort, wo er am angriffslustigsten tat, in Deutschland, weit mehr Übereinkunft und bequemes Auskunftsmittel als tiefe Überzeugung. Wilhelm II., der ihn durchaus ernst nehmen wollte, hat seine Untertanen zu Anfang auf schwere Proben gestellt. Nur allmählich und weil sie immer besser verdienen durften, ließen sie die Wiederverkörperung des Sonnenkönigs geschehen und führten die barocke Oper mit ihm auf.

Selbst der Militarismus hat sich schwerer durchgesetzt, als man heute wohl glaubt, und nicht nur aus eigener Kraft. Noch 1905 stimmte der deutsche bürgerliche Freisinn gegen eine Vermehrung des Heeres und der Flotte. Die französischen Militärs ihrerseits hatten sich mit Klerikalismus und Antisemitismus ernstlich kompromittiert.

Der Antisemitismus von 1890 war verfrüht, er mußte verkümmern. Die Zeit ist nicht reif für ihn, solange der Durchschnitt der Menschen an geschäftliche Ehrlichkeit noch gewöhnt ist und geistige Reinlichkeit wenigstens kennt. Solange man Katastrophen nicht erlebt hat und des nächsten Tages sich sicher fühlt, ist es nicht Zeit. Erst wenn alle wuchern, muß man schreien, der Jude wuchere. Erst wenn sogar für Bezahlung gemordet wird, kann mit durchschlagendem Erfolg verkündet werden, der Jude morde nach religiöser Vorschrift. Vor allem warte man das Chaos ab, den Augenblick, wenn alle mit zerrütteten Gehirnen auf selbstverfertigten Trümmern und Leichenhaufen stehen. Der Augenblick ist der richtige, um den verdienten Selbsthaß abzulenken auf den Juden.

Alles dies war unzulänglich gegen die Gefahren von damals, den Intellektualismus, die soziale Gesinnung, den Glauben, Europa wolle eins werden. Einzig der Nationalismus war ihnen gewachsen. Er war im Grunde die neue Kampfform der staatserhaltenden Gesinnung. Er fand Nahrung in Deutschland an dem Willen des Bürgertums, zur Führung zu gelangen. Handelsrivalitäten und Flottenbau waren bürgerliche Angelegenheiten, sie gingen weder den Adel noch das Proletariat ursprünglich auch nur das geringste an. Er fand Nahrung in Frankreich an alten Kränkungen, an Bündnissen und der von ihnen genährten Versuchung, im Internationalen wieder aktiv zu werden, an der nationalen Erstarkung selbst. Denn unsere beiden Nationen glauben sich ihre Erstarkung nur dann selbst, wenn sie militärische Folgen hat.

Dies sind nur Anlässe. Wie konnte es im Grunde geschehen, daß Nationalismus natürliche Vaterlandsliebe verdrängte und auch noch behauptete, er sei sie? Gefühle entarten mitsamt den Bedürfnissen, aus denen sie hervorgehen. Sie entarten wie Individuen oder Klassen. Sie sind mild und ohne Tücke, solange sie sich eins wissen mit den Zwecken der Natur. Erst ihre Überlebtheit und Unzeitgemäßheit erbittert und fälscht sie. Sie setzen sich zur Wehr gegen die gebotene Ablösung durch neue Tatsachen des Lebens. Sie wollen am Leben bleiben, selbst mit Lug und Trug, selbst mit Gewalt. Ein öffentliches Gefühl, ganz wie manches private, gebärdet sich am kräftigsten kurz vor dem Zerfall.

Es wird nicht anders verlaufen mit der nationalen Ausschließlichkeit als einst mit der religiösen. Die Religionskriege hatten die Religion auch nur zum Vorwand, als wirklichen Antrieb auch nur die Gier nach Macht und Besitz. Auch sie wurden immer größer und schrecklicher. Da, nach dem größten und schrecklichsten, dem dreißigjährigen, zerfiel auf einmal die ganze Angriffskraft des vorgeblich unbezähmbaren Gefühls. Ein Jahrhundert folgte, das mit der Unduldsamkeit der Religionen sogar sie selbst verwarf und nur noch unterschied zwischen Philosophie und Fanatismus. – Die Orgien des Nationalismus werden gebüßt werden von der Vaterlandsliebe.

Die Vaterlandsliebe ist kein göttliches Gebot, keine Heilslehre, nur ein Bedürfnis. Es keimt, schießt auf, verdorrt. Vorübergehend angewachsen bis zur Gefahr für den Bestand der Welt, wird es später wieder die harmlose Liebe des Einzelnen sein, die es war: Liebe zur Landschaft, zur Sprache. Und mag im Gegenteil und gleichzeitig zu sehr ins Weite gehen, um noch ausschließend zu bleiben. Wer einen ganzen Weltteil liebt, ist wohl endlich weise genug, die paar anderen nicht unnützer Weise zu hassen.

Das politische Vaterland ist veränderlich, sogar während meiner Lebensdauer hat das meine sich mehrfach verändert. Zuerst war es eine freie Stadt, dann ein mittelgroßes Reich, endlich ein beträchtlich verkleinertes. Das Vaterland war für alle am Anfang nur die Vaterstadt, gleich hinter ihren Mauern waren sie rechtlos. Mit schwerer Mühe wurden die nächsten Dörfer einbezogen. War ein Staat von zwei Meilen Umfang zusammengebracht, wäre es todeswürdiger Verrat gewesen, ihn an den nächsten Viermeilenstaat auszuliefern. Das Vaterland funktionierte nacheinander zugunsten eines Strauchritters, eines fürstlichen Geheimkabinetts, einer Militärbürokratie, eines Industriekonzerns: immer aber zum Vorteil einer herrschenden Klasse. Nur die gerade herrschende Klasse hat das Interesse, das Vaterland in seinem derzeitigen Umfang zu erhalten. Wesentlich erweitert, verändert es jedesmal Namen und Begriff, es kann nicht länger von derselben Klasse mit denselben Mitteln beherrscht und nutzbar gemacht werden.

Die Tragik aller herrschenden Klassen nun will, daß gerade sie zu Kriegen hindrängen, Erweiterungen ihres Machtbezirkes betreiben und so ein Ende beschleunigen, das ihnen von selbst schon naht. Denn es naht immer jenen, die die geistige Begründung ihres Aufstieges vergessen haben, seien sie Napoleon oder der Bürgersmann.

Eine Art Entschuldigung fehlt der herrschenden Klasse der Bürger nicht. Sie hatte sich, um ans Ziel zu kommen, unvorsichtigerweise mit so vielen und hohen Idealen belastet, daß gewöhnliche Menschen daran scheitern mußten. Es behindert fühlbar das Erwerbsleben, wenn man in einemfort an Freiheit, Gleichheit, Brüderlichkeit denken soll. So gaben sie es denn sehr bald auf. Ihre Erfindung waren die Ideale ohnehin nicht. Vierzig Jahre Enzyklopädie haben den französischen Bürger höchstens als Objekt gehabt. Urheber der neuen Gedanken waren klassenlose, fast staatenlose, freie und entwurzelte Geister, Verfolgungen ausgesetzt, von Mißtrauen umgeben. Ihre ersten Anhänger waren notwendigerweise die Vorurteilslosesten der Gebildeten, darunter sicher mehr Adel als Bürgertum. Der Bürger seinerseits sah sich schon vor der Revolution in den Regierungen reichlich vertreten, auch gehörten ihm die einträglichsten Finanzämter. Sein Trachten indes ging nach dem Ganzen des Staates, dafür bediente er sich, im Namen der großen Worte, des Volkes, – das freilich jeden erdenklichen Grund hatte, die Revolution zu machen.

Der damals praktisch werdende Begriff der Nation richtete sich keineswegs, wie heute, gegen andere Nationen: er richtete sich ausschließlich gegen den König. Nation war gleichbedeutend mit innerer Freiheit. Angriffskraft nach außen hatte das Wort nicht. Die französische Revolution kämpfte nur gezwungen gegen eine Koalition, nicht von Nationen, sondern von Königen. Nationen waren zunächst immer nur in der Abwehr, wie jeder, der noch nicht einmal bei sich zu Hause unbestritten ist. Auch deutsches Nationalgefühl erhob sich einzig gegen Bedränger, und dies waren im gleichen Maß die heimischen Fürsten und der fremde Imperator. Wären nicht Fürstenkoalition und Imperator gewesen, alles, Gefühl und Vorteil, trieb schon damals die beiden Nationen einander in die Arme!

Welch ein weiter, aber eiligst durchmessener Weg, vom Bürger, wie er aus den Kriegen vor hundert Jahren hervorging, bis zum Bürger nach dem von uns erlebten, seinem Krieg. Er begann als Geschöpf der Dampfmaschine, zuerst selbst noch mit anfassend bei der Manufaktur, Fabrikant in blauer Schürze. Väterlicher Gefährte seiner Arbeiter, die ihr Gedeihen gebunden wußten an das seine, aß er mit ihnen, betete mit ihnen und strich den Mehrwert der gemeinsamen Arbeit ein wie ein Tribut an die göttliche Weltordnung. Er war wohl noch redlich fromm, nur daß er von Anfang an das Interesse Gottes von seinem eigenen nicht reinlich unterscheiden lernte. Braver Mann übrigens, auf Ehrsamkeit des

Wandels und pünktliche Bezahlung der Schulden nicht schlecht versessen. Der Fall des verlorenen Sohnes, kam er überhaupt vor, ergab ein ungleich peinlicheres Verfahren als in der Schrift. Daneben ein sonntägliches Gefühl von Vaterland und Nation, Fichte und Schiller. Während langer Jahrzehnte des friedlichen Geldverdienens blieben es feierliche Höhen, die kein Fuß betrat.

1849 war auch in Deutschland so viel verdient, daß man immerhin dem Volk nicht abriet, wollte es denn durchaus für den Bürger als Hort von Bildung und Besitz die politische Macht erkämpfen. Dabei ergab sich nun aber die unangenehme Überraschung, die unter dem Namen des Sozialismus bekannt geworden ist. In Frankreich muß die neue Gefahr sich besonders stark angekündigt haben, denn um sie zu unterdrücken, griff man gleich zu dem heroischen Mittel eines neuen Kaisers. Er selbst war vom Sozialismus nicht unberührt; seine schüchterne Liebe gehörte dem armen Volk. Inzwischen bereicherte sich unter ihm der Bürger: so kühn hatte er sich noch nie bereichert. Die Masse der Bürger blieb wohl brav, aber ihre Auslese, die Erfolgreichsten, die ihre Klasse vor Welt und Nachwelt vertraten, verloren die hergebrachten Bedenken, die Entgleisung der Klasse begann. Der Gründungsschwindel, der zwanzig Jahre später auch das siegreiche Deutschland ergriff, besteht fort als unvergänglichstes Denkmal der Epochen Napoleons des Dritten und Wilhelms des Ersten. Dieser billigte den Schwindel so wenig wie jener. Wilhelm wagte, im Hinblick auf die Erwerbsorgien des Bürgers, einst sogar ein Scherzchen, schwach, aber lehrhaft. Zu dem Herzog von Ratibor, dessen Verkehr mit dem Spekulanten Strousberg er kannte: »Nun, Herr Doktor Ratibor, wie geht es dem Herzog von Strousberg?« Er vertauschte den Titel, der Monarch ward nicht nur bitter, sondern fast Prophet! Aber wenn etwa Ratibor davon berührt ward, auf Strousberg machte es keinen Eindruck. Der Bürger trieb es weiter in seiner Art.

Nicht ohne schlechtes Gewissen und die demgemäße Angst. Eine heillose Angst vor dem Sozialismus beherrschte in Deutschland die siebziger Jahre. Solche Angst hat es nie wieder gegeben – außer heute. Jeder Firmeninhaber bearbeitete seine Leute, als könnten sie nur noch gemeinsam mit ihm dem drohenden Ende aller Dinge Einhalt gebieten. Jede Madame auf ihrem Sofa zitterte vor dem Dienstmädchen, das begehrlich ihr seidenes Kleid zu betrachten schien. Ergebnis war das Sozialistengesetz, Unterdrückung und Gefängnis. Noch nicht Mord – wie heute. Die anarchische Geistesart des neuen Bürgers, die seine konservativen Gegner ihm schon damals nachsagten, hatte noch nicht ihre letzten Folgerungen gezogen.

»Das Wort Vaterland bedeutet heute nichts mehr, als das ausschließliche Bestreben, Geld zu verdienen.« Dies schrieb Gobineau, Graf und Legitimist, nach 1870. »Richtig«, antwortet ihm der Bürger, damals wie heute; »aber kein Vorwurf. Denn wie dient man dem Vaterland? Mit Geldverdienen. Sozialisten sind sogar nur darum vaterlandslos, weil sie das Geschäft stören.«

Hier muß wohl die ursprüngliche bürgerliche Erklärung der Kriegsindustrie liegen, – aber war ihre bürgerliche Erklärung denn jemals menschlich faßbar? Das Genie des Bürgertums hat in den Jahrzehnten zwischen den beiden letzten Kriegen sich der Technik des Tötens bemächtigt und ist in sie aufgegangen. Der kriegsindustrielle Bürger als höchster Ausdruck seiner Klasse hat all die Zeit mit der Eskomptierung künftigen Massensterbens Geld gemacht. Verloren gingen ihm Wille und innere Verpflichtung, dem Leben zu dienen, außer seinem eigenen. Er hat das erstaunliche Paradox fertiggebracht, Arbeiter, die ersten Opfer des künftigen Schlachtens, an seine Industrie zu ketten. Zum Ruhm und Nutzen seines mörderischen Gewerbefleißes hat er unendliche Arbeitskraft, viel technisches Können und tausend Federn in Bewegung erhalten, hat dies alles dem Guten entzogen. Der kriegsindustrielle Bürger hat den Staat, auch den feudalen Militärstaat, aus dem Hintergrunde gelenkt, hat ihn nach jedem Versuch, auszuweichen, wieder auf das Geleise geschoben, wo's in die Katastrophe ging. Es gab, in Deutschland wie in Frankreich, Minister, die guten Willens waren, und andere, die wenigstens an das Äußerste nicht dachten. Parteien schwankten, Friedenswünsche erreichten manchmal die Herzen der Mächtigsten. Die aufgehetzten Völker haben, wenn das Wort Krieg fiel, nie anderes im Sinn gehabt als einen munteren Tumult; vom Sterben wußten sie so wenig wie Kinder. Wer alles wußte, alles wollte, waren einzig jene Industriellen, die, offenbar in beiden Ländern, hinter den nationalistischen Verbänden standen, sie aushielten, Geld gaben für das öffentliche Geschrei nach immer neuen Rüstungen, sogar den Staat, wenn es sein mußte, bestachen. Ihre Sache wollte es: da glaubten sie wohl endlich, die des Landes. Ihr großer Sach- und Menschenverbrauch, die unermessenen Interessen, die nun an ihre eigenen geknüpft waren, überzeugten sie, es sei das Land, für das Land ständen sie da. Wer den Krieg rüstet, darf nicht aufhören, bis der Krieg da ist: dann kommt erst seine Zeit. Er ist ebenso gehetzt wie Hetzer. Er ist der allgemeine Verderber, aber auch, wenn nicht im Materiellen, doch im Sittlichen das erste seiner eigenen Opfer.

Ihre Großväter würden den Mehrgewinn eingesackt haben wie Gottes Willen. Sie nicht mehr. Und sie schoben doch das Vaterland selbst in den Sack. Das ging nur, wenn sie sich mit ihm verwechselten. Hatten sie nicht recht noch im Ungeheuersten, wenn sie in sich das Land, im ganzen Land nur sich sahen? Dann wären sie sogar befugt gewesen, sie, die das Land selbst waren, ihr Geschäft mit denen zu machen, die ihresgleichen und auch wieder ein Land waren, wenn auch ein feindliches. Wem waren die beiden verantwortlich? Was wäre einzuwenden gewesen, wenn zwei scheinbar feindliche Kriegsindustrien, über den Umweg dritter Unternehmungen, jede an der anderen beteiligt gewesen wären? Erlaubt und geboten, sie wären einfach beieinander rückversichert gewesen. Was auch geschah, Sieg oder Niederlage, sie mußten verdienen, nur das war Pflicht. Indes die Idee des Vaterlandes bis zur Tobsucht, zur Selbstzerfleischung ausgepeitscht wurde für das Geld der Industrie, wäre die Weltbeherrscherin selbst schon nicht mehr an sie gebunden gewesen. Bezirke, wo nach keiner sittlichen Begründung des eigenen Daseins und Wirkens mehr gefragt wird! Unbedeutende Menschen wachsen, von Verkettungen getragen, dort hinein und wissen nicht wie. Die Welt ist seelenloser Rohstoff, die Menschheit ein Zwischenfall. Bleibend und allein gültig ist der Vorteil dessen, der die Macht hat. So denkt nicht einmal Gott. Weder so beschränkt noch so größenwahnsinnig kann er sein.

So beschränkt und so größenwahnsinnig ist einzig der vollendet Gottlose. Was ward aus der frommen Demut früherer Bürger? Das Bürgertum als Klasse hat seinen Weg zu schnell gemacht, als daß es irgend etwas anderes noch hätte ans Ziel mitbringen können, außer seinem siegreichen Erwerbssinn. Die Bürgerklasse fühlt sich nicht verantwortlich für die Völker, die sie ausbeutet und als Futter ihrer Machtgier benutzt. Niemals würde sie sonst diesen Grad des Opfers und des Elends von ihnen gefordert haben. Der ehemalige Adel behielt immer einen Rest Verantwortung. Er stand noch in Verbindung mit Gott, sein Recht kam von ihm. Woher kommt das Recht der Bürgerklasse? Sie leugnet die lebendige Wirkung von Ideen. Die »Wirtschaft«, jener automatische Vorgang, der die Reichsten immer reicher, die Armen vollends arm macht, ist alles, worauf sie sich beruft. Was bis zu ihr gedacht wurde, ist Zierat, was nach ihr und gegen sie, Verbrechen. Diese Klasse von Emporkömmlingen ist jetzt so konservativ, wie höchstens absolute Könige es waren. Bis ans Ende der Zeiten sollen alle Menschen, die geboren werden, an sie den Mehrwert ihrer Arbeit abliefern: ohne Grund und höhere Berechtigung, einfach nur, weil es heute so ist.

Der ehemalige Adel hat einst in Frankreich seinen 4. August 1789 gehabt. »Der Feudalismus, der tausend Jahre geherrscht hatte, dankt ab, schwört ab, spricht den Fluch über sich aus.« Der Geschichtsschreiber setzt hinzu: »Großes Beispiel, der hinscheidende Adel hat es unserer herrschenden Bürgerklasse vermacht.« Nie war ein Beispiel vergeblicher.

Wer gemeint hatte, der große Krieg werde in der Laufbahn des Bürgertums oder der kleinen Auslese, die sich noch jetzt so nennen darf, die höchste Leistung bleiben, wird von ihr belehrt. Selbstanbetung bringt noch mehr fertig. Unwissenheit kann noch schwärzer, Herzensroheit noch roher werden. Was Deutschland und zweifellos auch Frankreich seit dem Ende des Krieges unter den beiden nationalistischen Bürgerklassen erlitten haben, steckt die Grenzen der Schamlosigkeit weiter. Abwechselnd mit Betrug und mit Gewalt wird das eigene wie das fremde Volk niedergehalten und in noch größeres Unglück gestoßen. Die langjährige Gewohnheit beider Völker, Kriegsgesetzen zu gehorchen, benutzt man, die Freiheiten noch gründlicher abzuschaffen als sogar im Kriege. Müdigkeit und Verstörtheit der Völker machen sie zu Opfern der Klasse, die das Geld hat. Jetzt sieht ein jeder: der Krieg war das sicherste Mittel für eine Auslese der Gierigsten. An der Herrschaft ist nicht mehr das Bürgertum selbst, nur noch die durchfiltrierten Insinkte der Klasse in Person der Gierigsten. Sie haben den Mittelstand aufgefressen. Schon sind die sozialen Sprossen, die zu ihnen hinaufführten, so gut wie alle beseitigt. Unter ihnen ein allumfassendes Proletariat. Allein in der Höhe, pumpen sie das Blut der Völker zu sich hinauf, drunten ringt man um jede Stunde. Erbarmen ausgeschlossen, es sind die Gierigsten.

So steht es in Deutschland. So wird es nicht lange hier allein stehen. Der Besiegte erfährt etwas schneller, was das Schicksal vorhat. Auf dem Abrutsch ins Elend ist er natürlich voran. Die Klasse, die den Abrutsch befehligt, hat hier leichtes Spiel, dank der Niederlage. Großes Beispiel und kein vergebliches, für alle führenden Klassen. Ihr größtes Glück können sie mit dem größten Unglück des eigenen Volkes machen. Ein geschlagenes Volk wirft das meiste ab. Die Niederlage ist für die, die sie organisieren, das beste Geschäft. Wußte man das? Früher versanken die Führenden, wenn sie sich verrannt hatten, in den Abgrund. Um herauszukommen, können wir nur noch auf unsere Führer hoffen. Der ganze Witz ist der, ein Volk so gründlich hineinzulegen, daß es sich selbst auf keine Weise mehr helfen kann: so macht man sich ihm unentbehrlich, wohl oder übel läßt es sich das noch übrige Fell über die Ohren ziehen. Eine führende Klasse, die ein Volk zum Erfolg führt, wird kritisiert und bald bedroht; denn welcher Erfolg wäre vollständig und nicht zweischneidig. Das sicherste ist, sie führt ein Volk in die ungeheuerste Katastrophe.

Um aber vom Sieger zu sprechen: kennt man in Frankreich den Rückgang und die Ohnmacht der politischen Opposition? Die Unterdrückung ihrer Aktion, die Verhaftung sogar ihrer Abgeordneten? Und kannte man dies ehemals? Kannte man den Zustand, daß von Freiheit kaum mehr als die des Verdienens besteht – und auch die Pressefreiheit in der Tat nicht mehr? Denn der diktatorische Druck des Nationalismus auf die öffentliche Meinung erstickt die Pressefreiheit auch ohne ausdrückliches Verbot. Eine Art Betäubung des ganzen Landes erlaubt dem Nationalismus seine traurigen Unternehmungen, – die scheinbar nur gegen Deutschland gehen. Wen aber werden ihre späteren Wirkungen treffen?

Man verkenne nirgends die Symptome schwerer Anfälle, die heraufziehen, – mögen sie sich auch vorläufig hinter äußerer Machtentfaltung verstecken. Wir Deutsche wissen nun schon, wie es weiter geht, wenn die Geldinteressen der Reichsten, gleichgültig ob in Kohle oder in Eisen ausgedrückt, das einzig Bestimmende sind. Nichts weiter zählt mehr im Lande, nur »Wirtschaft«, soll heißen: die großen Vermögen. »Nicht an sie rühren!« Steuern fast allein aus den Besitzlosen gepreßt, alle sozialen Forderungen vertagt und vergessen, alle kulturellen Werte vertan, ihre Pfleger zu den Lohnsklaven geschoben – aber »Wirtschaft«! Die geistigen Arbeiter scheinen lautlos verhungern oder Bürodiener werden zu wollen. Aber wohin ist in Deutschland die selbstbewußte Klasse der Industriearbeiter gekommen? Lammfromm, um ihr Leben bangend, hängen sie an ihren übermächtigen Herren. Es ist wieder geworden wie in den patriarchalischen Anfängen der Industrie: das Wohl der Arbeiter gilt als dem der Herren unlösbar verbunden. Bettgenossen, die nur die Not des einen schafft! »Das Kapital ist der Freund der Arbeiter«, konnte unter Mißbrauch der Not schon laut gesagt werden. Sie fühlen aber einzig: »Nur noch den Lohn für heute und morgen! Euer Wucher, unsere Lohnerhöhungen zwingen alle, immer wahnsinniger um das Leben zu kämpfen – aber soll alles verrecken, nur wir noch nicht! Heute und morgen!« Der ganze Staat gleicht diesen Armen und denkt wie sie. Daher: »Schonung der Wirtschaft!« Und wegen »Wirtschaft«, dauernd überreizt, von einem Zusammenstoß mit auswärtigen Gläubigern zum anderen und nie aus dem latenten Bürgerkrieg außer vielleicht in den offenen.

Dies alles weiß jeder, und es wird um so tausendfältiger und unablässiger gedacht, gestöhnt und geflüstert, je weniger es gesprochen werden kann. Die Gierigstenherrschaft hat ihre Presse und ihre Gerichte. Für die meisten Gerichte sind nicht jene die Hochverräter, die dem Land an der Schlagader sitzen: der ist's, der sie nennt. Die Pressefreiheit hingegen besteht, nach wie vor, gleich stark für alle. Denn wie der Reichste die ganze Presse ungestraft aufkaufen darf, um allein und ohne Widerspruch die Stimme zu erheben, so hat dasselbe unverbrüchliche Recht auch der Ärmste. Nur seine Schuld, wenn er es nicht ausübt: wenn im Lande endlich düstere Einmütigkeit entsteht, wie nicht einmal unter dem Absolutismus.

Die Gierigsten gehen weiter, sie schließen eigenhändig Staatsverträge. Setzen sich selbst an die Stelle der Staaten, die Grenzen sind abgeschafft, wenn sie kommen. Sie verkaufen Erfindungen hinüber, die zur Sicherheit ihres Landes gemacht wurden. Für kleine Leute aber haben sie ein früher unbekanntes Verbrechen erfunden: Industrieverrat, den Hochverrat an ihnen.

Die sozusagen geistigen Machtmittel könnten versagen, es schien geraten, für handfeste Volksbewegungen zu sorgen. Wie leicht sind sie zu haben heute! Zur Verfügung steht der brotlose Nationalismus, die zügellosen Fanatiker einer abgehausten, schädlich gewordenen Idee. Am Anfang war die Idee uneigennützig, hochherzig, geistig anspruchsvoll. Unbekannt waren ihr Angriffslust und Haß. Sie hat sie erlernt, sie ward, wie ihre Ziele, gassenläufig und gemein. Das letzte Geschlecht ihrer Anhänger aber, zu verkommen sogar für eigene Verbrechen, leistet nur noch Banditendienste den Reichsten. Später Anhang Fichtes, Schillers – und nehmen Geld! Hier nun vereinigt sich Geld einheimischer Industrieller mit Geld, das fremde Industrielle spenden. Das ist Nationalismus. Dieselben Interessen verbinden die Mächtigen und halten die Völker entzweit, welche glückliche Ordnung der Dinge!

Das Gute an all dieser Ordnung? Sie hat ihr Gutes. Die wirklichen Machthaber, die nur noch so wenige sind, haben ihre Deckung verlassen, man sieht sie. Ehemals waren sie, durch Monarchie und Militarismus, glänzend gedeckt. Ihr Krieg ging unter falscher Flagge. Wer wußte, daß der Generalstab ihr Beauftragter war? Die Kriegsziele vor allem die ihren? Millionenfaches Todesopfer des Volkes dargebracht für Bergwerke, nach denen sie gierten? Nach dem Krieg aber haben sie den Mittelstand aufgefressen, das hat sie bloßgestellt. Jetzt sieht man sie. Jeder kennt ihre Namen, ihre Gesichter und Bärte. Sie sind zu eitel, es zu verhindern. Auch zu dumm. Wie sollten sie wissen, daß ihr Vorteil Heimlichkeit verlangt? Ihr offener Anblick ist weder dekorativ noch erhebend genug. Macht, die ausschließlich das enteignete

Geld der Gesamtheit ist? Bezahlte Macht, nicht achtbarer als bezahlte Liebe.

Ihr Anblick zwingt den Unschuldigsten, zu fragen, was sie denn, außer raffen, noch können – da sieht er: nichts. Sie haben das Raffen zum Maß der Dinge erhoben, ja, auch Menschen haben für sie nur dies Maß. Ihnen entgehen sämtliche menschlichen und politischen Wahrheiten oder gar Keime zu Wahrheiten. Gegen sie waren Monarch und Generalstab humanistische Genies. Die krasse Unwissenheit dieser Gestalten prahlt mit Verachtung jeder Handlung, die nicht unmittelbar Geschäft ist. Sie geben aus Grundsatz nichts oder höhnische Lappalien für alles, was in Deutschland jetzt untergeht, – es soll untergehn. Was machen Tatmenschen, die sie zu sein glauben, sich aus dem Wort, aus Definition und Einblick. Wozu gesittete Auseinandersetzungen, die nicht auf Macht fußen. Die Parlamente scheinen ihnen Spielzeug, sie verstehen Mussolini. Einer von ihnen hatte gerade mit Hilfe eines Agenten, der vom Balkan kam, die Mehrheit der Aktien einer Berliner Bank heimlich und hinterrücks an sich gebracht. Ein Balkangeschäft. Dann ging er in eines der Parlamente und sprach. Der Satz kam vor: »Ich kann meine Zeit produktiver anwenden als hier.« Mit Balkangeschäften.

Derselbe wurde von einem Berichterstatter gefragt, für wen er eigentlich so unsinnig viel Geld verdiene. Er hätte natürlich sagen müssen: »Für den Aufbau der deutschen Wirtschaft.« Oder einfacher und größer: »Für Deutschland.« Oder ganz groß: »Zum Heil der Welt.« So war er doch eingespielt. Aber nein, er vergaß sich. Für wen er so viel Geld verdiene? »Für meine Kinder«, sagte er schlicht. Sein Großvater in der blauen Schürze hätte nicht schlichter bürgerlich sprechen können. Dies also sind sie in unbewachten Augenblicken. Es rührt fast. Es könnte versöhnen, wenn das noch zu machen wäre.

So oder so haben sie eine Unschuld und Frische, die hierzuland kaum noch zu erwarten war. Der Krieg war ihr Stahlbad, wenn sonst niemandes. Sie haben, nach allem, was das Vaterland ihrer Wirksamkeit zu verdanken hat, noch immer den Mut, sich mit ihm zu verwechseln, dazu gehört etwas. Noch immer kostet es sie kaum Selbstüberwindung, höchstens vielleicht eine leichte Nachhilfe ihrer Gutgläubigkeit, wenn sie nationale Sache sagen und ihr Geschäft meinen. Übrigens haben Umstände die Gleichsetzung beinahe wahr gemacht. Dank der allgemeinen Untätigkeit steht es derart, daß sie mit internationalen, die Nation vollends enteignenden Geschäften noch immer die Patrioten sind, weil ohne sie nicht erst morgen, sondern schon heute alles aus wäre.

Sie tun recht, Personen, die ihr Geschäft stören möchten, als vaterlandslos durch ihre Organe verfolgen zu lassen. Man sollte ihnen darin nicht unrecht geben. In unserer Lage, die, solange wir es dulden, von der ihren nun einmal bestimmt wird, ist es gefährlich, witzige Ausfälle ihrer Gegner mit Sympathie in den Zeitungen abzudrucken. Unlängst kam im Reichstag von rechts der Ruf: »Sie haben ja kein Vaterland!« Rechts sitzen, neben den Industriellen, die Wucherer mit Nahrungsmitteln; sie riefen nach links: »Sie haben ja kein Vaterland!« Worauf Stimme von links: »Nein! Das haben Sie uns gemaust.« Man sollte hierüber still sein.

Oder aber man müßte schließen, daß sie doch nicht so unerschütterlich fest sitzen wie ihre Unschuld es sich träumt. Gibt es Widerstände, ausgedehntere als es scheint, wenn auch noch verschwiegene, gegen die Diktatur der »Wirtschaft«? Gegen die Behauptung, sie sei alles und ein »Wirtschaftsführer« das letzte und wichtigste Ergebnis der menschlichen Geschichte? Wer hat den Typ schon satt? So viele melden sich! Wem wird allmählich übel bei seiner Verherrlichung? Wer findet den knechtischen Trieb denn doch noch widerwärtiger hier, als wenn er sich an Fürsten sättigt? Wer hat schon mal gehört, daß früher ein Ladendiener mit fünfundsiebzig Mark Monatsgehalt den festen Willen hatte, ein Warenhaus zu besitzen, und ihn endlich auch durchsetzte?

Wer ist der begründeten Überzeugung, daß die Abenteuer der Wirtschaft heute es unvergleichlich leichter machen, einige Industriekonzerne unter sich zu bringen, als damals ein Warenhaus? Wirklich, schon so viele besinnen sich darauf, daß die Überlieferung unseres Landes, unserer Gesittung noch andere Verdienste kennt – und daß selbst der Ausgewucherte im Geistigen nicht überzahlen sollte? Ich dachte mir schon, es werde doch noch Hoffnung bleiben. Die Überentwicklung des Erwerbstriebes auf Kosten aller edleren Funktionen der menschlichen Natur wird nicht das unwiderstehliche Beispiel für alle sein, und nicht auf die Art werden wir Europäer enden.

Eines Tages werden wir Mitleid fühlen dürfen mit dem, was wir sahen von äußersten Verirrungen des Erwerbstriebes, von seiner widernatürlichen Unzucht. Gewisse Geschehnisse werden vielleicht nur noch vom Mitleid bis in den Grund verstanden werden. So der Besuch der Industriellen im zerstörten Gebiet. Industrielle beider feindlicher Länder fanden sich, nach vollbrachter Tat, dort zusammen, um zu beaugenscheinigen, was sie vollbracht hatten. Ihre Waffen, Geschütze, Sprengstoffe, Giftgase, alle ihre technischen Höchstleistungen hatten hier überwältigend gesiegt. Kein Haus, kein Baum und keine Mauer. Der Mensch nur noch als Skelett vorkommend in dieser Erde, die mehr zerstücktes Eisen als Erde war.

Die Herren verließen ihre starken und glänzenden Autos. Obwohl feindlicher Herkunft, schritten sie im besten Einvernehmen über die Stätten ihres Wirkens. Es war ihr gemeinsames Wirken. Die Feindschaft war in Wahrheit Arbeitsgemeinschaft. Wenn die technischen Errungenschaften, die hier gehaust hatten, zufällig nur die des einen waren, der andere hatte sie dank seinem Wettbewerb mit hochgebracht. Er würde seine eigenen nicht anders verwertet haben. Er hatte gegiert nach den Gruben des Nachbarn, wie der nach seinen Hütten. Er hatte, dem anderen neidvoll verbrüdert, den Krieg herbeigerufen und ihn unvermeidbar gemacht. Er hatte, gleich jenem, Menschen, Landsleute, Nachbarn sterben lassen, die mit der Sache nichts weiter zu tun hatten, als daß sie eben starben.

Beide, weit entfernt, hiernach vom Schauplatz abzutreten, waren seither nur noch tätiger, mächtiger, stolzer geworden. Sie waren allumfassend geworden. Jetzt zeigten sie sich, Seite an Seite, in dem schamlosen Sonnenlicht, das ihr Werk beschien, und berieten ihr nächstes Kompaniegeschäft, den Wiederaufbau.

IV

Diktatur der Vernunft
Oktober 1923

Herr Reichskanzler!

Sie* – und wir mit Ihnen – sind haarscharf vorbeigelangt an der Diktatur der Gewalt, dem notwendigen Ergebnis einer Regierung der Rechten. Die Gefahr wird wiederkommen. Bei jedem Nachlassen der gesetzlichen Kräfte, bei jeder Ihrer Unaufmerksamkeiten und so oft die Parteien sich verblüffen lassen, kommt sie wieder. Wen aber trifft sie? Das Reich. Es wäre sein Ende, Sie wissen es. Wollen Sie denn nicht vorbeugen? Können Sie den Zustand ertragen? Die Nation erträgt schwerlich, noch lange auf dem Spiel zu stehen. Dann hätten Sie verloren, Sie und das Reich. Beugen Sie doch vor! Statt der drohenden Diktatur der Gewalt die Diktatur des Rechtes!

Lassen Sie sich von der bürgerlichen Mitte des Reichstags die Vollmacht erteilen! Ausüben werden Sie sie ja nicht ganz bürgerlich.

Denn was wollen Sie? Sie haben den Widerstand gegen Frankreich aufgesagt. Die Worte, die Ihre Handlung begleiteten, beeinträchtigten ihren Erfolg, noch mehr beeinträch-

* Stresemann.

tigte ihn Ihr Zögern, zu verhandeln. Sie brauchen Verständigung mit dem Gläubiger. Sie brauchen deutsche Leistungen, damit Sie einst Befreier des deutschen Bodens heißen. Ohne diktatorischen Druck wird nichts geleistet werden.

Ihre ausgesprochene Absicht war, zugunsten des Reiches Hypotheken auf den Privatbesitz zu legen. Sie deckten also mit kapitalistischer Form einen mehr oder weniger sozialistischen Inhalt. Scheinbar handelten Sie bürgerlich, im Grunde schon anders. Sie waren sich sicher bewußt, daß Sie der letzte Erhaltende waren, nach Ihnen der Sturm. Sie wollten das Bestehende verlängern, indem Sie es mit dem, was doch kommt, untrennbar verstrickten.

Hoffen Sie im Ernst, ohne Diktatur mit den mächtigen Enteignern des Nationalvermögens fertig zu werden? Die Enteigner waren soeben fast schon mit Ihnen fertig. Jene hatten im Parlament das Chaos organisiert, das nächstemal tun sie es auf der Straße. Die reichen Empörer bezahlen Banden und Neben-Reichswehren, sie haben die meisten Zeitungen; Hypotheken des Reiches werden sie nicht dulden. Eher erstreben sie Beteiligung Fremder. Eher erstreben sie Übergang in fremden Staatsverband. Zu diesem letzten Ziel wühlt ihr Geld in einem instinktverlassenen Volk, bis es sich, einzig für sie, zerfleischt.

Wir dürfen uns beglückwünschen, Herr Reichskanzler, wir haben ein Volk! Politiker oder Schriftsteller, jeder Arbeiter am Menschen, der ihn vernünftiger will, hier greift er ins Leere. Dieses Volk ist immer dort, wo nichts zu holen ist als Wahnsinn, wo nichts zu finden ist als Nacht.

Jeder schäbige Gauner kann dieses Volk, mit vorgemachten großen Worten, auf seine Seite bringen, der ehrliche Mann im Guten nie. »Die Substanz nicht angreifen!« schreit der Dieb, und sie geben ihm recht, bis sie selber angegriffen, verbraucht, erledigt sind. Wenn dann der fremde Gläubiger persönlich anrückt: »Passiver Widerstand ist nicht zu brechen!« – bis sogar ihr Staat am Zerbrechen ist.

Sehen Sie nur, Herr Reichskanzler, Ihren unheilvollen Vorgänger*! Ein doch ganz talentloser Mensch, aber mit welcher Leichtigkeit hat er dieses Volk in den Zustand gebracht, daß es sogar für einen Krieg reif ist, der in wenigen Stunden alles, mitsamt seinem bloßen Dasein, beenden könnte. Dann geht so einer unbehelligt seiner Wege.

Denn in diesem Lande ist persönliche Verantwortung bis heute unbekannt. Dieses Volk ist, wie kein anderes, im Sichausreden auf Kollektivitäten befangen. Es faßt den nicht, der selbst urteilt, der ihm Wahrheit bringt. Es sieht den nicht, der handelt, auch wenn er es verdirbt. Es glaubt an unbegreiflich böse Mächte und immer an die falschen. Man kann es ungestraft verderben, spielt man ihm nur Betäubungsmittel in die Hände. Will jemand einschreiten, der stirbt gewaltsam ihm zu Füßen, ohne daß es aufblickt.

Gleichviel! Das einzige wirkliche Daseinsrecht Denkender ist, die Menge der Menschen vor den wenigen, die sie ausbeuten und verderben, zu warnen. Das höchste Ziel eines Politikers kann nur sein, sie vor ihnen zu retten. Handeln Sie, Herr Reichskanzler!

Brechen Sie zugunsten des Rechts und der Vernunft das unerträgliche, nutzlose Gleichgewicht, worin Recht und Gewalt, Vernunft und der Wahnsinn sich hierzulande gegenüberstehen. Revidieren Sie die sogenannte Pressefreiheit! Bringen Sie die vorhandenen Waffen auf ihre Seite! Sie sehen doch, daß, solange der Wahnsinn zu allem fähig scheint, die Vernunft nicht schwanken darf.

Finden Sie es zu spät? Das würde mich nicht wundern. Im Jahre 1919 war es leichter. Gleich damals konnte man freiwillig tun, was zum Schluß nun doch das Schicksal ist: Diktatur und Kehraus. Die Plutokratie, die Deutschland nun bis zu Krämpfen vergiftet hat, war vermeidbar. Man sah sie in Überlebensgröße aufsteigen; der Krieg hatte unverkennbar gezeigt, was sie sein würde. Aber die Sozialdemokratie,

* Cuno.

die im Jahre 1919 allein an der Macht war, ist programm-
mäßig für Ausreifenlassen.

Auch wirkte die Psyche des Besiegten. Man ist in der Fahrt
und zappelt weiter, indes der Stoß vor die Brust schon sitzt.
Wirtschaft, kolossale Wirtschaft, eigentliche Wurzel des An-
spruches auf Sieg und Übergewicht, sie blieb erhalten noch
dem Besiegten. Sie hatte nicht gelitten, sie ward die Hoffnung. Sie konnte die militärische Niederlage glatt aufheben,
ja vergelten. Ihre Träger waren größer als je. Aus Unent-
schlossenheit, aus Trotz ließ man sie ganz groß werden –
anstatt sie zu den abgedankten Militärs zu werfen, deren
bösester Geist gerade sie gewesen waren. Die Weimarer Verfassung verlangte Kontrolle privater Unternehmungen, Beteiligung des Reiches an den Bodenschätzen. Kolonisation,
die Aufteilung des durch Bauernlegen angeschwollenen
Großgrundbesitzes war selbstverständlicher Bestand jeder
Neuordnung. Nichts davon. »Aufbau!« Dieselbe Wirtschaft,
an der wir schon einmal gescheitert waren, wieder aufrichten
wollen – und nichts erreichen, als daß sie wild ward und
ausschweifte. Einen Kapital-Bolschewismus begünstigen, der
ganze Bevölkerungsklassen ausrottete, ohne aber dazu befugt zu sein durch Idee. Verkommen lassen, was an sittlicher
Kraft noch im Lande war, damit nur der Reiche wächst und
wächst. Dem Staat den Henker mästen.

Sieht dies alles, Herr Reichskanzler, nachträglich nicht unwahrscheinlich aus? Glauben Sie mir, Sie haben es mit Ge-
störten zu tun. Handeln Sie danach!

Einen klügeren Besiegten hätte nichts abgehalten, es zu machen wie der erste seiner Sieger. Der mag nach außen noch
so groß tun, innen fühlte er sich keinen Augenblick als richtigen Sieger. Richtige Sieger leben aus dem Vollen, dieser
schränkte sich ein. Im Punkte Schulden war er vom Besiegten kaum zu unterscheiden und zog die Folgerungen, – die
der Besiegte nicht zog. Frankreich war, wie Sie wissen, niemals geneigt, vor allem auf seine Wirtschaft zu pochen. Sein

Staat behielt die beneidenswerte Kraft, sich vor der Wirtschaft zu behaupten. Auch der Krieg hat nicht vermocht, daß der Reichtum sich weiter zusammenzog zu ungesunden Machtgebilden, eher verteilte er sich. Wer irgend verdient hat, kaufte Land. Ungezählte neue kleine Besitzer, das sichert Staat und Staatsgesinnung auf mehrere Generationen. Das schafft die freien Familien, in denen die künftigen Intellektuellen erwachsen. Woher sollen sie bei uns noch kommen?

Wer unterrichtet Sie, Herr Reichskanzler, da Sie in Paris noch immer keinen Botschafter haben? Wissen Sie, daß Paris eine bescheidene, fast glanzlose Stadt geworden ist? Weniger knallige Privatautos als in Berlin, kein dickgeschminktes Wohlleben. Weder neue Schlemmerstätten noch aufgestockte Bankpaläste an allen Straßenecken, auch die fünfundzwanzig Berliner Operettentheater nicht! Alles sieht gebraucht, fast schon verbraucht aus; man findet es wohl dringlicher, das Geld in die zerstörten Provinzen zu tragen, anstatt in vergoldete Spekulantenlokale. Denkt jedes Land so? Der Franc gilt dreißig Centimes, es gibt keine kleinen und mittleren Rentner mehr. Auch durch Paris ziehen Rotten von Amerikanern und kaufen billig wie vor Jahren bei uns.

Wir finden im heutigen Frankreich unsere eigene Vergangenheit wieder und den genauen Punkt, wo wir falsch einbogen. An diesem Punkt mußte Deutschland vor vier Jahren, da sein Geld nicht schlechter stand als jetzt dieses, sich entschließen, es aufrecht zu erhalten. Es gab es aber preis – nicht einmal aus böser Absicht, um Gläubiger zu prellen, nur kopf- und haltlos. An diesem Punkte konnte Deutschland noch Staat und Nation voranstellen vor Privatinteressen. Es handelte aber nicht als Nation, es verschleuderte sich an Interessenten, die dafür sorgten, daß nationalistisch gebrüllt wurde, je weniger national gefühlt und gehandelt ward. Nationen haben völlig freie Wahl, zu leben oder abzutanzen.

Die neuen Probleme des Kontinents sind wirksam überall.

Noch die westlichste Demokratie verändert ihren Inhalt, erschüttert wie ihr soziales Gerüst ist. Nur daß organisch geschehen könnte, was wir Deutsche vielmehr regellos erleben. Französische Intellektuelle würden Ihnen ihre tiefe und besorgte Teilnahme am deutschen Schicksal eingestehen. Es ist dasselbe Schicksal, das, noch verschleiert, sich auch ihrem Lande zuwendet; und ob es wohltätig naht, hängt mit von uns ab. Der Minister Poincaré mag glauben, eine deutsche Katastrophe werde Frankreich unberührt lassen; die zahlreichen Wissenden hat er gegen sich.

Er hat auch das Volk nur begrenzt für sich. Das französische Volk wird einzig und unbedingt beherrscht von dem Bedürfnis nach Frieden. Die Tatsache besteht, Sie können auf sie bauen! Jenes Volk hat gesunden Sinn genug, um nicht unnütz an altem Haß zu kauen, das Leben stellt es schon auf neue Proben. Die Politik der Industrie ist verbrecherisch drüben, aber leider ist sie es auch hier, und nur darum könnten beide gemeinsam Erfolg haben. Wir sehen uns allzu sehr als Mittelpunkt, wollen wir für nationalfranzösisch ein groß angelegtes Vorgehen gegen den Bestand Deutschlands halten. Die Welt hat eigene Sorgen. Von uns will man Geld. Allein der Geldmangel ihres Landes hat eine Mehrheit von Franzosen vermocht, die militärische Unternehmung gegen das deutsche Industriegebiet zu dulden. Poincaré muß wissen, wie weit er geht. Mehr als geschehen, darf er seinem Bauernvolk nicht zumuten; mehr faßt sein wohlausgeglichenes Hirn selbst nicht. Warum will man durchaus, daß wir glauben sollen, er werde weiter gehen, bis zur Sprengung des Reiches, Abtrennung des Westens, Protektorat über den Süden, bis zu Weltrevolution oder Krieg? Die, die zahlen sollen, ziehen selbst dies alles dem Zahlen vor. Dies, samt dem Chaos, kommt durch Verrat an uns selbst.

Sie, Herr Reichskanzler, teilen schwerlich die hier übliche maßlose Überschätzung Ihres Gegners. Ein größensüchtiger Napoleonide, der gewissenhafte Anwalt? Aus Liebe zum geordneten Geldverkehr mit uns übersieht der Mann die Gefahr, die auch ihm aus unserer Zerrüttung droht. Er ist schwer aufzuklären, sogar von seinen Mitarbeitern. Sprechen Sie selbst mit ihm! Ein einfacher Entschluß, man läßt beiseite, was Trotz, Vorurteil, verletzte Eigenliebe in den Weg stellt, man verabredet eine Aussprache.

Sie wenden ein, daß schon die Aufgabe des passiven Widerstandes Sie dicht vor den Bürgerkrieg gestellt hat? Weil Sie ihn nicht am ersten Tage Ihrer Regierung aufgegeben haben, sondern erst am vierzigsten. Sie hofften, die inneren Widerstände abzustumpfen und haben sie nur gereizt. Sie wollten Ihren unheilvollen Vorgänger nicht schroff ins Unrecht setzen; in Deutschland soll immer alles, was je bestanden hat, relativ richtig gewesen sein. Das vermehrt nur ewig die Entrüstung der Unbelehrten. Wahnsinn ist nicht relativ falsch, Vernunft nicht relativ berechtigt. Vernunft soll nicht rücksichtsvoll sich einschleichen wollen, wo Wahnsinn zu allem fähig ist. Niederlagen, die Wahnsinn uns zugezogen hat, machen wir nur gut, wenn wir Vernunft nicht für ein Auskunftsmittel, vielmehr für Ehre und Kraft halten.

Behaupten Sie laut und frei die Vernunft! Vollständige, redliche Verständigung mit Frankreich und ein künftiges Bündnis, das ist Vernunft. Gehen Sie zum Angriff über, anstatt zu vertuschen! Wo sogar die zögerndsten Maßnahmen, den Staat zahlungsfähig zu machen, antikapitalistisch, Sie selbst der Bolschewist sein sollen, können Sie nur noch auftrumpfen: »Schluß mit uneingeschränktem, unbeaufsichtigtem Hochkapitalismus in einem besiegten, der Not verfallenen Lande!«

Sie werden damit alle jene abstoßen, deren Zweideutigkeit Sie und das Reich schwächt, heimliche und offene Verschwörer, die Abfallsüchtigen, den patriotisch maskierten Hochverrat. Alle werden, aus dem Zwielicht gejagt, Rechenschaft geben oder versinken müssen. Das wahre Deutschland wird endlich ein vielleicht furchtbares, aber reines Gesicht haben.

Sie können es schaffen, Herr Reichskanzler. Sie haben die Parole der Einheit, das ist auch heute noch mehr, viel mehr als Losung von Parteien. Es ist Losung der Geschichte, Vorbedingung für Größeres. Ein Volk, das Einheit schon gekannt hat, ist nicht dasselbe wie früher; wer hofft in der Welt denn, es könne wieder zerfallen und nicht eben dadurch die ungeheuerste Drohung sein. Wer ahnt nicht vielmehr, daß die Länder des Kontinents, zuerst die Hauptländer Deutschland und Frankreich, nur als Wirtschaftseinheit noch fortdauern, gegen Weltreiche noch bestehen können. Daß keiner von uns daher sich zersplittern darf. Daß Arbeitsgemeinschaft fest zusammenhaltender Reiche die entscheidende Bedingung Europas ist!

Herr Reichskanzler, Sie können beitragen, diesem Lande die Gestalt zu geben, die es tauglich macht für seinen Beruf. Sie können es versäumen, und das Land wird endgültig die belanglose Provinz eines Erdteiles, der selbst nichts weiter mehr wäre.

Wir liegen inmitten und sind bestimmt, Osten und Westen zu verbinden, gegen Natur sperrt man sich nicht. Wir waren früher die halb absolutistische Monarchie, die zwischen Zarentum und französischen Parlamentarismus hineinpaßte. Wir werden künftig die Republik sein, in der Ständevertretung mit Parlamentarismus sich verschränkt. Wir werden sozialisierte Großbetriebe und doch den wirtschaftlich freien Kleinbürger haben. Kapitalismus unter Staatskontrolle, Menschenrechte begrenzt von Klassengarantien: es ist unwahrscheinlich, daß unsere neue Demokratie viel anders aussehen wird, so ist sie schon vorbereitet. Aber wir müssen sie schaffen. Sie, Herr Reichskanzler, müssen sie mitschaffen.

Es handelt sich nicht mehr darum, die Lage zur Not aufrecht zu erhalten. Es ist unaufschiebbar, vom Fleck zu kommen, selbst gegen den Willen einer Nation, die sich verfahren hat und lieber an Ort und Stelle ihre Wut entlädt. Man sagt Ihnen wohl: »Alles geht vorbei. Unser Ausnahmezustand hält noch auf, was aufzuhalten ist. Kommt endlich doch, was kommen muß, dann wollen wir hoffen, daß die Extremen einander aufreiben. Nachher ist gewonnen.« Nein. Nachher ist verloren, Kraft und Zeit. Niemand darf sich aufreiben, niemand das Ganze gefährden. Die wechselnden Zustände der erkrankten nationalen Psyche wartet man nicht ab, man hilft ihr.

Sie werden einer wahren Erlösung beiwohnen. Die Widerstände, die heute kaum zu brechen scheinen, klarer Entschlossenheit weichen sie, sie zweifeln an sich, sie zergehen. Jede Tat, der ihre Notwendigkeit an der Stirn steht, klärt viele über sich selbst auf und entzieht sie dem Zugriff verbrecherischer Interessenten. Was sind denn Nationalsozialisten? Leute, die ihre Geldgeber schonen müssen, sonst wären sie nicht nur gegen jüdische Ausbeutung. Wer sind Kommunisten? Leute, die das Ganze über Bord werfen, im Haß auf eine Gierigstenherrschaft, so gierig, daß sie auch noch den Namen der Demokratie stiehlt. Ein Volk soll als Demokratie hinnehmen einen Unfug von Schacher und Rechtsbrüchen, Auswucherung, Entsittlichung, nacktem Verrat, offenem Zerfall. Welch eine furchtbare Verwirrung entsteht!

Aber jede Epoche ist im Grunde eines Willens. Kämpfe geschehen an der Oberfläche. Fruchtbar handelt nicht, wer hinhält und endlich zerstörende Ausbrüche doch zulassen muß. Fruchtbar handelt, wer die zersprengten Kräfte sammelt, um sie konzentrisch auf das Ziel hinzuführen, das sie meinen und nicht sehen. Das Ziel ist erfüllte Demokratie, lebendes Gebilde aus allen unseren wohlverwendeten Kräften, wie sie sind, wie sie wachsen. Das Ziel ist: tauglich werden als Nation für Aufgaben, die mehr als national sind. Ein einziger Weg steht noch frei, aber Sie führen ihn nur mit Ihrer ganzen Strenge.

Sie sind ein bürgerlicher Kanzler. Ich glaube, daß bürgerlicher Art, deren Sache die Liebe nicht ist, vor der Vernunft der Dinge doch oft das Gewissen schlägt. Ich habe gesehen, wie entwickelte Bürger ihren Kreis durchbrachen und hinwegdachten über ihre Klasse. Ihre eigene Vergangenheit, Herr Reichskanzler, hat Sie nicht darauf vorbereitet, Geschäftemachern in den Weg zu treten, den Besitz unter Staatsnotwendigkeiten zu beugen. Sie waren nicht darauf gefaßt, eine Revolution der Vergiftung durch reiche Verräter entziehen zu müssen, damit der Staat ihr Inbegriff sei. So ist es aber gekommen. Auch ich hätte nie gedacht, ich würde Diktatur fordern.

Ich fordere Diktatur der Vernunft. Stützen Sie sich fest auf die Anhänger des Reiches, des Deutschen Reiches und seiner Rechte, die vor jedem Einzel- und Sonderanspruch gehen! Brechen Sie Bestechungen und Lügen, die Geldzufuhr des Verrates an seine Banden, die Presse, die er aushält! Ergreifen Sie Personen und Besitz, rächen Sie die bis in den Tod beleidigte Nation! Die soziale Demokratie soll endlich gewappnet und als Rächer dastehen. Sie ist unsere einzige Rüstung, wer sie angreift, muß zerbrechen.

Herr Reichskanzler, wer glaubt, es gebe noch Übergänge und Halbheiten, irrt. Die deutsche Tragik vollzieht sich immer auf Grund versäumter Gelegenheiten. Aber ich fürchte, daß selbst das säumigste Volksganze sich und Ihnen diesmal nicht verzeihen könnte.

Die deutsche Entscheidung

Die Anweisungen Hitlers für die nationalsozialistischen Redner enthalten auch die, daß Versammlungen ausnahmslos am Abend abzuhalten sind. Dann sei eine Volksmenge leichter zu bearbeiten und dumm zu machen als bei Tage. Sie sei dann schon abgekämpft, sie unterliege eher.

In Deutschland ist jetzt Abend, wenn nicht schon Mitternacht. Das gibt Herrn Hitler seine große Chance, wie er sehr wohl weiß. Könnten die Deutschen ihre eigene Lage mit ausgeruhtem Kopf betrachten, sie würden ihm nicht zufallen. Auch jetzt denkt immer noch nicht die Mehrheit daran, sich zu ergeben. Immerhin verliert sie einen Teil ihres Mutes, indes der Gegner überhaupt keine Zweifel mehr zu kennen scheint. In Wirklichkeit tut er nur so. Die Republik ist in den Massen befestigt, und ihr gehören große Teile der öffentlichen Mächte. Die Partei, die gegen den Staat Sturm läuft, besonders aber ihre Führer, täuschen sich schwerlich darüber; sie überrumpeln und sie bluffen, wie es im Kriege üblich ist. Niemals vergessen, daß dies eine bloße Kriegspartei ist! Sie ist darauf zugeschnitten, zu siegen mit List und Gewalt. Mit dem Siege nachher etwas Nützliches anzufangen, außer Beute machen, daran denkt sie gar nicht.

Ich kann nicht annehmen, daß es in anderen Ländern großen Eindruck macht, wenn Herr Hitler seine Gesandten hinschickt, als ob die Gesandtschaften der Republik schon im Abbau wären, oder wenn er die auswärtige Presse »empfängt«. Anderswo fühlt man sich von ihm nicht bedroht und kann ihm ruhig in das Auge blicken, das nur für viele Deutsche ein Basiliskenauge ist. Haben sie hineingesehen, müssen sie sich fressen lassen. Der Grund ist, daß sie den Krieg nicht überwunden haben; er beherrscht sie weiter, und für ihr Gefühl hat er niemals aufgehört. Sie sagen »im Frieden war es anders« – und vergessen ganz, wann sie leben. Sie haben sich redlich bemüht, in einen neuen Frieden hineinzufinden, aber es war stärker als sie, ihnen schien nun einmal der Krieg das Bleibende und das Erste. Fast alle wünschten Frieden, viele wurden Pazifisten; trotzdem waren sie versucht, dem mehr Aussicht zuzutrauen, der kriegerisch auftrat. Er hatte für sich den Augenschein, die harte Welt, in der man offenbar gefangen ist, die fast hoffnungslose Lebenslage der meisten, die Unsicherheit, die des Eigentums wie auch die persönliche. Die Mehrheit wäre demokratisch und friedlich, sie ist es sogar noch jetzt und wird es bleiben. Nur findet sie in sich nicht genug Widerstand gegen jemand, der mit den Methoden des Krieges arbeitet, – ganz davon abgesehen, daß die Regierung der Republik überhaupt nie ernstlich widerstanden hat.

Der Zustand Deutschlands ist vor allem eine seelische Tatsache. Alles Äußere tritt dagegen zurück. Der Zusammenbruch der Wirtschaft wäre nichts Ungewöhnliches. Die Wirtschaft bricht jetzt überall mehr oder weniger zusammen, aber nur in Deutschland erreicht der Vorgang seine Höchstwirkung auf die Gemüter. Man erinnere sich, daß auch die Währungen aller Länder schon bedroht waren; die deutsche allein ist restlos verfallen, die Deutschen selbst haben sie verfallen lassen, ohne äußere Notwendigkeit, aus Gründen des Gemütes, aus innerer Widerstandslosigkeit. So könnte es sein, daß sie jetzt den Nationalsozialismus zur Herrschaft gelangen lassen, weil sie in sich wieder einmal den Ruf des Abgrunds hören. Die Deutschen hören ihn reichlich oft. Die Frage ist, ob sie dem Ruf des Abgrunds auch diesmal wirklich folgen. Ihre vorigen Katastrophen haben sie doch wohl belehrt. Was spricht dafür und was dagegen?

Für den Sieg des Nationalsozialismus spricht vor allem, daß in diesem Lande die Demokratie niemals blutig erkämpft worden ist. In einem geschichtlichen Augenblick, nach dem verlorenen Kriege, erschien sie, verglichen mit der unheilvollen Monarchie und dem gefürchteten Bolschewismus, als der gegebene Ausweg – nur Ausweg, nicht Ziel, viel weniger leidenschaftliches Erlebnis. Wenn sie 1918 gewußt hätten, was sie unternehmen, würden die Deutschen damals die notwendigen Maßnahmen getroffen haben, um ihre Demokratie zu sichern. Alle, die seither Zeit gehabt haben, die Republik zu unterhöhlen, wären gleich damals ein für allemal verhindert worden, zu schaden. Statt dessen hat die deutsche Demokratie sich einfach eingerichtet, als gäbe es im ganzen Land niemand mehr, der nicht den Stimmzettel anerkannte. Sie sah die fremden Demokratien auf Mehrheiten sicher ruhen und hielt diese Abmachung für unverbrüchlich. Sie ahnte gar nicht, was für eine solche Abmachung bezahlt werden muß, und welche Lehren die Gegner jeder dauerhaften Demokratie bekommen haben, bevor sie sich auf eine Verständigung mit ihr einließen. Die deutsche Demokratie war sogar noch stolz auf ihre Gewaltlosigkeit. Bis heute hat sie die Anwendung von Gewalt ihren Feinden überlassen, die von der gütigen Erlaubnis bestens Gebrauch machen. Die Welt mag hieran erkennen, wie ungerecht es wäre, die Deutschen schlechthin für Anbeter der Gewalt zu halten. Nein, ihre Mehrheit hat die ganze Zeit hindurch auf eine einfache Konvention, den Wahlzettel, hin gelebt und hat den Verdacht nicht aufkommen lassen, als könnte man sie trotz Wahlzettel niederschlagen, ausrauben, entrechten. Diese Unschuld, dies Vertrauen hätte wahrscheinlich kein anderes Volk aufgebracht.

Jetzt ruft die Mehrheit den Staat um Hilfe an – statt sich selbst zu helfen. Ihr wird noch immer nicht zweifellos klar, daß der Staat sie größtenteils schon verlassen hat, soweit er ihr überhaupt jemals gehörte. Die Justiz war nie republikanisch. Von der Reichswehr weiß niemand etwas Sicheres. Dagegen sieht man, daß die Privatarmee Hitlers von der augenblicklichen Regierung des Reiches behandelt wird nicht wie der Feind ihres eigenen Daseins, sondern als erwünschter Machtzuwachs. Wo steht die Regierung demnach? Nicht unbedingt dort, wo die Mehrheit sie noch vermutet, wenn sie nach Hilfe ruft. Einer der Reichsminister erklärt, daß die Regierung sich nicht vom Volkskörper isolieren dürfe. Meint er damit die Mehrheit oder eine Minderheit, – die zufällig schwer bewaffnet ist?

Genug, daß dies und noch anderes, auch die Macht des Geldes, für den Sieg der Nationalsozialisten spricht. Wichtiger, ganz unvergleichlich wichtiger ist, was für ihre Niederlage und für den Bestand der Demokratie spricht. Denn dies muß klar erkannt werden, sonst wird es niemals voll ausgenutzt. Die Demokratie darf hoffen auf den Instinkt der Selbsterhaltung im Volk. Es sieht nicht ungetrübt, und sein Gemüt ist furchtbar zerrissen. Aber es muß doch noch Witterung haben, wie selbst das Tier, wenn die Schlachtbank nahe rückt. Es soll im Inneren niedergeschlagen, dann aber in neue äußere Kriege getrieben werden: das fühlt ein Volk doch voraus. Hat es lange gezögert und sich lähmen lassen, wird es doch vielleicht zuletzt noch alle seine Kraft zusammenraffen. Das Proletariat, das nur durch die Ideologien seiner Führer getrennt ist, könnte sich einigen. Es ist ferner noch nicht ausgemacht, daß die öffentliche Gewalt, soweit sie bisher in den Händen von Republikanern liegt, kampflos übergeben werden wird. Der Ausgang des Kampfes aber wäre mindestens ungewiß. Sollte die Reichswehr sich vorsichtig zurückhalten, bis sich zeigt, wer der Stärkere ist, dann ist der Stärkere die Mehrheit, sobald sie es unbedingt sein will.

Der größte Trumpf der demokratischen Mehrheit aber bleibt die unverkennbare Verdächtigkeit ihrer Feinde hinsichtlich der menschlichen Eigenschaften, ihre sittliche Fragwürdigkeit. Die Nationalsozialisten und ihre Führer wollen 'ran an die Krippe, 'ran an die Macht und sonst nichts. Sie stehlen die Ideen anderer, die sie doch bekämpfen. Sie sind bestechlich und waren ursprünglich die bezahlte Schutztruppe eines Klüngels von Industriellen, bevor sie groß genug wurden, um sich als Retter Deutschlands aufzuspielen. Dies alles fühlen die vielen, die nichts wissen. Besonders ist den Deutschen in ihrem Herzensgrunde nicht verborgen, wie wenig persönliche Berechtigung Hitler und die Seinen mitbringen für ihre angemaßte Rolle. Hitler soll bei dem Unsinn, den er über Frankreich redet, »Schaum vor dem Munde« haben, und jeder sagt sich, daß da etwas nicht stimmt bei einem ehemaligen Österreicher. So nahe geht einen östlich der deutschen Grenze Geborenen der deutsche »Erbfeind« nicht an. Er muß ein Komödiant sein. Was geht selbst Deutschland ihn an? Der österreichische Komödiant bedient sich eines deutschen Lasters, des Antisemitismus – mit welcher Berechtigung? Wie sehen er selbst und so manche der Seinen aus? Man fühlt hier dies alles, und gerade dies Gefühl gibt den Ausschlag. Es wäre sehr merkwürdig, wenn ihre äußere Roheit die Zukunft der Nationalsozialisten bestimmte und nicht ihre innere Schwäche.

Gesetzt aber, sie siegen und errichten ihre dumme Gewaltherrschaft: für wen herrschten sie dann eigentlich? Für ihre Gläubiger, eine gewisse Anzahl Personen, die sich »die Wirtschaft« nennen, und die schon zweimal den Staat zugrunde gerichtet haben, dessen Geschäfte sie beeinflußten. Sie haben das Erste Reich in den Krieg, das Zweite in den Nationalsozialismus gehetzt. Sollte ihnen plötzlich alles Talent ausgehen, so daß sie das Dritte Reich in nichts mehr hetzen können? Das Dritte Reich wird scheitern an seiner Unfähigkeit und an seiner Abhängigkeit. Dann aber käme ein ungemein blutiger Abschnitt der deutschen Geschichte. Das Reich der falschen Deutschen und falschen Sozialisten wird gewiß unter Blutvergießen errichtet werden, aber das ist noch nichts gegen das Blut, das fließen wird bei seinem Sturz. Dann holt die Demokratie alles einst Versäumte nach, dann hat sie gekämpft, dann ist sie erlebt, – und übrigens wird es dann nicht mehr die unvollständige Demokratie des abgeschlossenen Zeitalters sein, sondern die wahre, die das Volk meint.

Das Bekenntnis zum Übernationalen

II

Unfall einer Republik

Die deutsche Republik von 1918 ist in die dichte Mitte eines irrationalen Zeitalters hineingestellt worden. Von Anfang an hatte sie es schwer, zu atmen und zu leben. Eine Aufgabe der höchsten Vernunft, aber eine Atmosphäre keuchender Leidenschaften, die vom Krieg nur ermüdet, nicht gesättigt sind: das war die Lage der entstehenden Republik und ist ihre Entschuldigung, wenn sie unterlegen ist. Niemand hat damals und später etwas anderes von ihr verlangt, als daß sie das zusammengebrochene Kaiserreich ablöste und es mit ihren schwächeren Kräften ersetzte. Die bisherigen Feinde machten nur die Bedingung, daß sie ungefährlich sei. Die Deutschen waren schon zufrieden, wenn nur das Reich blieb.

Aber jede neue Republik erhält innere Berechtigung als Erscheinungsform eines durchaus neuen geistigen Zustandes. Es genügt nicht, daß sie neu ist für das einzelne Volk, das es gerade mit ihr versucht, und eine verspätete Nachahmung der »westlichen Demokratien« rechtfertigte keineswegs die deutsche Republik. Sie hatte den Inhalt ihrer Zeit aufzunehmen, ihn sogar vorwegzunehmen. Das Geringste wäre gewesen, wenn sie soziale Fortschritte verwirklichte. Ganze Parteien des Landes hatten Jahrzehnte damit verbracht, solche Fortschritte zu fordern und sie vorzubereiten. Als es soweit war, geschah freilich nichts – schlimmer als nichts. Der fideikommissarisch gebundene Großgrundbesitz, dieser Rest einer überlebten Wirtschaftsepoche, ist mit Hunderten von Millionen unterstützt worden von Regierungen der Republik, die Verrat begingen an ihrer Sendung.

Diese Republik erfüllte nicht einmal im Sozialen ihre selbstverständliche Pflicht, um so weniger handelte sie zeitgemäß im Internationalen – und doch war ihr als eigenste Sendung mitgegeben: Völkerversöhnung. Das überhaupt wichtigste, weil neueste Wort der Weimarer Verfassung beruft den Geist der Völkerversöhnung. Die deutsche Republik würde als erste daran gearbeitet haben, und ihre Tat wäre niemals wieder aus der Welt verschwunden. Sie hätte es den Menschen leichter gemacht, und obwohl in der Geschichte bis jetzt nur die verzeichnet werden, die es ihnen besonders schwer gemacht haben, war der Platz schon angewiesen, wo die Namen der Führer zum Frieden stehen sollten. Sie kommen in jedem Fall, ob früher oder später; und wären sie rechtzeitig aufgetreten, dann hätten sie der Welt, besonders diesem Weltteil, diesem Land, den größten Teil seines heutigen Leidens erspart. Die deutsche Republik hätte die Führer zum Frieden stellen sollen, und auf die Einigung Europas hinzuarbeiten war ihr Anteil am Unvergänglichen. Dieser Begriff eines Staates von sich selbst wäre in der Gegenwart ihre Größe und wäre ihr geschichtlicher Ruhm geworden. Natürlich sind das Träume und vergebliche große Worte.

In der Wirklichkeit ist nur zu verwundern, wie die paar Buchstaben von der Völkerversöhnung in die Weimarer Verfassung überhaupt hineingekommen sind. Es muß die kurze Selbstbesinnung des Besiegten gewesen sein. Mancher ahnt nach einer der Katastrophen seines Lebens, daß er zu einer Wandlung berufen wäre; aber niemand erlaubt sie ihm, die anderen sehen ihn als das an, was er immer war, und auch er selbst glaubt nicht im Ernst an seinen neuen Menschen. So die Republik von Weimar. Ihre guten Vorsätze rührten aus unzusammenhängenden Antrieben, der Geist der Zeit verband sie untereinander nicht; sie blieben vereinzelt, unwirksam und wurden vergessen, kaum daß sie aufgeschrieben waren.

Übrigens war soeben der Friede von Versailles geschlossen worden, und dieser war notwendig ein Erzeugnis desselben Nationalismus, der vorher die Völker reif für den großen Krieg gemacht hatte. Wären die Staatsmänner von Versailles fähig gewesen, einen anderen als einen nationalistischen Frieden zu diktieren, dann wäre offenbar gar nicht erst Krieg gewesen. Die Deutschen ihrerseits vergaßen es den Gegnern nie, daß sie im Augenblick des Friedens noch dieselben Menschen des Krieges waren. Das erschütterte noch mehr ihren eigenen, schwachen Entschluß, es nicht mehr zu sein. Die Mehrheit der Deutschen hat es nicht zur Kenntnis genommen, wenn die anderen seither doch wohl einiges abließen von ihrem Nationalismus. Ihren eigenen trieben sie allmählich auf eine Höhe wie im Kriege und darüber noch hinaus; dies alles aber in einer Republik, deren Sinn sie nicht verstanden, obwohl sie ihn aufgeschrieben hatten: Völkerversöhnung.

Der nationalistische Auftrieb geschah nicht gegen die Republik, sondern mit ihr; das ist die Wahrheit, was auch immer sonst behauptet wird. Die Republik hat nur wenige Tage ihres Lebens anders gehandelt, als das vorige, kriegerische Reich gehandelt haben würde nach einer unfreiwilligen Verkürzung seiner Machtmittel; und den Versuch, anders zu handeln, machte ein einzelner, Stresemann. Die endgültige Einigung mit Frankreich war in erreichbare Nähe geholt worden von diesem einzelnen Mann. Aber nichts folgte. Die Nation im ganzen stand nicht hinter ihm, die Parteien duldeten ihn nur gerade, und über das sofort Nutzbringende hinaus wurde sein Ziel nicht ernstlich zur Kenntnis genommen. Davon kam sogar seine eigene Aufrichtigkeit ins Schwanken. Als er gestorben war, an seiner Verlassenheit noch früher als an der Krankheit, wurde der Verständigung nie mehr entgegengeschritten, nur immer zurück. Kein Wort oder Gedanke der Verbundenheit für den guten Willen, der auf vertragliche Rechte verzichtet hatte; dafür die Erhebung neuer Ansprüche – die alle mehr oder weniger zu erlangen wären, aber doch nur wieder vom guten Willen des anderen; und nicht an ihn hat man sich gewandt, sondern an die eigene, fortwährend höher gespannte, nationale Erregung – die schon Krieg ist, insofern ein Seelenzustand ihn ersetzt.

Der Krieg erhält sich in dem Denken heutiger Zivilisierter nicht als sichere Tatsache, der sie sich gewachsen fühlen. Er ist eine Zwangsvorstellung, und sie werden sie nur aus Ermüdung nicht los. Das Entsetzen würde sie in den Krieg treiben und nicht ihr Selbstvertrauen. Je weniger sie aber im Grunde von sich halten, um so heftiger ihr Haß auf einen anderen. Wir können nicht kämpfen, wir wollen wenigstens hassen! Wir können nicht einmal mehr unser Leben verdienen, außer wir versöhnen uns mit euch. Daher habt ihr alles verschuldet, und wir hassen euch! So sieht der Haß mancher Deutschen auf Frankreich aus, und von ihnen sind mehr in entfernten Teilen des Landes als nahe der Grenze. Der Nationalhaß darf seinem Gegenstand nicht in Person begegnen, es nähme ihm etwas von der Unwissenheit, die er braucht. Stände nicht das Gegenteil fest, der Nationalhaß sähe aus wie ein Überrest aus den Zeiten der langsamen Verkehrsmittel und unzulänglichen Informationen; – aber damals war er maßvoll, verglichen mit dem, der jetzt in den künstlich verdunkelten Köpfen festsitzt. Ein armes Einzelwesen aus der Menge haßt erstens den Konkurrenten von der Straßenecke und zweitens ein fremdes Volk, das heißt Millionen Menschen, ihre Vorgänger, ihr Erleben, Schaffen und Schicksal seit tausend Jahren. Ein wahrhaft angemessener Gegenstand für den Feind des Eckladens! Da hat er seinen zweiten Feind und kennt ihn zu seinem Glück noch etwas weniger als den Eckladen, aus dem er wenigstens Klatsch weiß. Nur so läßt sich ungestört hassen.

Aber der Nationalhaß, das leerste, unverstandenste, unerlebteste aller Gefühle, macht manchmal Geschichte und für täglich immerhin das Wetter. Die Regierenden haben es ihm, auch in der Republik, nicht nur erlaubt; sie haben den Nationalhaß benutzt und noch angetrieben, sobald Gründe der inneren Machtverteilung dafür sprachen. Den nationalsten von ihnen kam es bei allem auf die Macht im Innern an – mehr jedenfalls als den Republikanern. Die waren als Inhaber des Staates nur schwach überzeugt von sich selbst, waren ohne republikanische Ideologie, und daher fürchteten sie die der anderen, den Nationalismus. Nur darin nicht zurückbleiben! Infolge ihrer angstvollen Hochachtung vor dem Nationalismus regierten die Republikaner fast immer zusammen mit Reaktionären oder abwechselnd mit ihnen und voll Rücksicht auf sie. Gerade deshalb haben die Reaktionäre sich endlich alle Macht genommen und dulden im Staat nur noch die Ihren, das ändert nichts. Alle republikanischen Reden haben aufgehört, das ist der bemerkenswerteste Unterschied. An der Spitze der Verwaltung sind keine Minister mehr angebracht, um von Zeit zu Zeit das Wort Republik auszusprechen, ohne daß sie von seinem Sinn jemals durchdrungen gewesen wären. Das ändert nichts, da unterhalb der Minister niemals, keinen Tag lang, eine gründlich republikanische Verwaltung bestanden hat. Man muß einen hohen Beamten, der Republikaner war, erzählen gehört haben von seiner Kampfstellung die ganze Zeit, wie vereinzelt, unterwühlt, immer im tapferen Gegensatz zu den feindlichen Ränken der eigenen Untergebenen er gelebt hat; – und zur gleichen Stunde war im Lande ein Wort in Übung gekommen, das die Republik geehrt hätte, wenn es wahr gewesen wäre: System. Es gab kein System!

Schlimmer, das herrschende System war das gebrauchte, abgenutzte, das die Republik vorgefunden hatte, dieselbe Vorbereitung auf immer denselben Krieg, die unveränderte Ungerechtigkeit zugunsten von Erwerbsständen, die nichts nachließen, und von Klasseninteressen mit unversöhnlichen Ansprüchen. Die Justiz war nie republikanisch, das sah jeder; die Reichswehr war es nicht, die Universitäten. Kein Teil der Verwaltung wurde republikanisch durchdrungen, am wenigsten das Auswärtige Amt. Offene Gegenrevolutionäre von 1919 sind darin sitzengeblieben, und unbeanstandet hat dies Amt gegen die Republik weitergearbeitet. Anscheinend wurde nur niemals der einfache Schluß gezogen, daß Regierungen, die es damit gut sein ließen, selbst nicht tief überzeugt gewesen sein können, weder von der Republik noch von ihrem eigenen Recht. Die Regierungen der Republik haben sich allenfalls benommen wie Schauspieler auf einer Probe, aber nicht, als ob es Abend und ernst wäre. Sie markierten nur, wie man einen Staat verteidigt und behauptet. Bis zur entscheidenden Aufführung des Stückes sind sie dann auch gar nicht erst gekommen.

Unernst und unüberzeugt, wie sie waren, mußten sie vertuschen. Vor Enthüllungen über Staatsfeinde im Staat stellte sich jeder Minister. Jedes republikanische Ministerium trat zurück, wenn es sich offen republikanisch zu entscheiden gehabt hätte. Es machte den erklärten Feinden der Republik bereitwillig Platz, sogar, wenn jene keine Mehrheit hatten. Mögen die nur zeigen, was sie können! Sollten sie wirklich fertig werden mit der Republik, dann sind nicht wir Minister und wir Parteien verantwortlich: die Demokratie ist es. Da haben wir das rettende Wort! Die Demokratie verleiht jedem gleiche Rechte, auch denen, die sie beseitigen wollen! Müssen wir durchaus ein republikanisches Gesetz erlassen, dann nehmen wir in die Regierung um so eher Reaktionäre auf, damit wir gedeckt sind. Her mit unseren lieben Reaktionären! Sie müssen so oft als möglich dabei sein, wenn gerade nicht im Kabinett, dann im Salon, auf unseren Festen! Kein offizielles Essen, bei dem sich nicht alle wieder zusammenfanden. Der Reichskanzler, der sich parteilos genannt hatte, weil er nicht nur gegen das Wesen, sondern sogar gegen die Form des Staates gewesen war, saß neben seinen republikanischen Kollegen. Der Reichskanzler der Inflation, der Reichskanzler, der die 700 Millionen der ersten amerikanischen Anleihe sofort an die Schwerindustrie weitergegeben hatte: alle in hohen Stellungen, alle dabei. Immer dieselbe Gesellschaft, ausgeschlossen blieb, wer nicht regiert hatte in der Republik, sondern für sie nur dachte und kämpfte. Der Schriftsteller, der einiges dafür tat, die Republik mit ihrem eigenen Sinn zu erfüllen, genoß nicht einmal den Vorteil des Republikschutzgesetzes; er war nicht die öffentliche Person, wie der kleinste Landesminister. Kein System, aber ein Klüngel!

Niemals haben die Republikaner sich sicher gefühlt in ihrem eigenen Staat. Das regierende Personal aber stellte sich unentwegt, als brauchte es nur zu verwalten, nicht zu sichern, nicht zu führen. Das Höchste war, den Ruf zu haben als guter Verwalter – der Gewerkschaften oder der Schutzpolizei. Als aber beide die Republik hätten retten sollen, wurden sie gar nicht beansprucht. Dieser ganz unerprobte Staat hat Erscheinungen gezeitigt wie eine sehr alte Demokratie, die leichtfertig wird, als ob ihr überhaupt nichts geschehen könnte, weil die letzte Entscheidung der Wahlzettel bleibt. Über diese ist auf andere Art entschieden worden, wie man weiß.

Wo alle dieselbe Denkart haben, wird auf die Dauer das Geschrei siegen. Die Minister der Linken waren wahrhaftig Nationalisten, sie ahnten gar nicht, daß man etwas anderes sein könne. Sie versäumten aber, mit ihrem abgenutzten Bestand noch groß aufzutrumpfen, und nur so kann er gerettet werden über seine Zeit hinaus. Die Rechtsregierungen waren, wie gewöhnlich, die unbedenklicheren; sie lenkten alle Aufmerksamkeit auf das Nationale, damit sie in seinem Schutz die soziale Reaktion durchbrächten. Als Reaktion und Nation in den Köpfen zur Einheit geworden waren, konnte endlich der Nationalsozialismus ausbrechen, die große neue Bewegung, die Bewegung des Stillstandes, die Neuheit einer Alterserscheinung, der Anspruch der Krüppel und der Leeren auf großen Um- und Auftrieb. Dennoch ist eine Volksbewegung nicht lange nur das Werkzeug von Ehrgeizigen, mit der Zeit wird sie wirklich die Sache des Volkes – und damit eine Gefahr gleichmäßig für alle, ihre eigenen Führer, ihre Geldgeber, falschen Freunde, besonders für den regierenden Klüngel ohne Unterschied von links und rechts.

Schließlich ist dann auch eine diktatorische Rechtsregierung ihren Freunden links zu Hilfe gekommen, als sie nicht mehr aus und ein wußten. Die Republik, schon mehr als halb im Bürgerkrieg, wurde vom vollständigen Versinken abgehalten durch einen Verkehrsunfall, die Namen der neuen Minister bezeichnen ihn ehrenvoll. Es sind beileibe nicht die Namen von Verrätern vielmehr von Rettern. Eine Republik ohne eigenen Geist und Glauben hat zuletzt monarchistischer Retter bedurft. Das kann sie kaum noch beschämen, aber beglückwünschen dürfen sich die Nationalsozialisten, um derentwillen die einen zum Staatsstreich, die anderen zur Flucht griffen. Die Nationalsozialisten stehen an dieser Stelle der Ereignisse für das Volk selbst. Um es zu entrechten und fernzuhalten, spielen alle einander in die Hände, wie immer sie sich benennen; und sogar eine Bewegung, die sonst durch Verfälschung und Roheit abstieß, erscheint gerechtfertigt.

Dennoch – die Republikaner sind da und sie bleiben da. Die Mehrzahl im Volk kann nichts anderes sein als republikanisch – trotz allen Bewegungen gegen das »System«. Die offene Reaktion begegnet im Grunde dem einmütigen Volk. Das ist nicht mehr dasselbe Volk, es ist ein anderes geworden durch die geschehene Lockerung der Klassen, der Sitten, eine Gewöhnung an Gemeinschaft, eine menschlichere Haltung und zugänglicheren Sinn – alles vor der Republik in Deutschland ungewohnt. Das Volk hat sich, wie noch nie in so kurzer Zeit, verwandelt seit dem Ende des kriegerischen Kaiserreiches, das gerade darum nicht wiederkehren wird. Dies Volk hat während einiger Jahre der Republik, nach der Revolution und vor dem Bürgerkrieg, sich ein einziges Mal frei gewußt und wird das Erlebnis seines verhältnismäßigen Gewinnes nie vergessen. Das Volk war auf gutem Wege, es ist nur aufgehalten worden von seiner wirtschaftlichen Not. Die machte es zugänglich für die wütenden Schwärmer eines »Dritten Reiches«, während es mit seiner Republik das praktische Versprechen eines immer volkstümlicheren Staates schon in Händen hielt. Die Republik mußte nur beim Wort genommen werden, und sie mußte Männer finden, die sie äußerst ernst nahmen. Das Wahlrecht mußte besser und das Parlament dem Volk in Wahrheit verantwortlich sein. Das Volk war immer bereit gewesen, es war erfüllt von der Republik, viel tiefer als es wußte. Die letzten Wochen vor dem reaktionären Umsturz und Zwischenfall wurde auf den Straßen das Wort »Freiheit« gerufen, und das waren Kommunisten so gut wie Bürgerliche. Das Wort »Freiheit« und was es alles enthält an Werten, an Würde, selbstgewählter Pflicht, an Recht und an Hoffnung, war ihnen von ihren Parteien kaum erklärt worden, und die Regierenden hatten es so gut wie nie gebraucht. Die Straßen hörten es vorher nie. Als aber die Republik unter dem gefährlichsten Druck stand, da stieg von selbst dies Wort.

Wenn »Freiheit« kein Blendwerk ist, dann bedeutet sie den innigen Anspruch, niemandem zu gehorchen als nur der Vernunft. Wo das Wort Freiheit seinen Sinn zurückbekommt, geht auch immer schon die Ahnung um, als nahte, nicht mehr lange aufzuhalten durch Vergewaltigung, Dumpfheit und Lüge, ein neues Zeitalter der Vernunft.

Die erniedrigte Intelligenz

1933

> »Uns wird bekundet, daß damals Arulenus Rusticus
> dafür, daß er Petrus Thraseas, Herrennius Senecion aber
> dafür, daß er Priscus Helvedius gerühmt hatte, mit dem
> Tode büßen mußten. Uns wird bekundet, daß man nicht
> allein gegen die Autoren wütete, sondern sogar gegen
> ihre Schriften, und zwar hatten die Triumvirn den Be-
> fehl bekommen, auf öffentlichem Markt, im Beisein allen
> Volkes zu verbrennen, was die ausgezeichnetsten Geister
> für alle Zeiten geschaffen hatten. Gewiß dachte man auf
> immer zu ersticken in diesen Flammen sowohl die Stimme
> des römischen Volkes als auch die Freiheit des Senates
> und das Gewissen der Menschheit. Schon waren vertrie-
> ben alle, die Weisheit lehrten, verbannt war jede frei-
> heitliche Kunst – aus Furcht vor dem Ehrenhaften, das
> noch hätte auftreten können. Wir haben sicherlich an
> Geduld Erstaunliches geleistet, und mögen frühere Jahr-
> hunderte eine übertriebene Freiheit gekannt haben, so
> sahen wir das Letzte von Knechtschaft – wir, denen
> nachgespürt wurde, damit wir nichts mehr sagen, nichts
> mehr hören sollten. Mit der Rede hätte man uns sogar
> das Gedächtnis geraubt, wäre es uns nur möglich ge-
> wesen, so gut zu vergessen, wie wir schweigen lernten.«
> *Tacitus, Leben des Julius Agricola.*

Ein gewisser Hinkel ist der Erfinder des Wortes »Intellektbestie«, womit er alle Denkenden schlechthin, besonders aber
die Schriftsteller meint. Nach seiner Ansicht ist Denken und
Schreiben das sicherste Zeichen der tierischsten Gemeinheit.
Nun trifft es sich, daß dieser Hinkel einer der Kommissare
des deutschen Diktators ist, wie dieser überall welche hin-
setzt. Den Genannten hat er zum Aufseher gemacht über die
Theater, Akademien und allgemein über Anstalten, die als
eigentlicher Nährboden der »Intellektbestie« gelten.
Offenbar hat er den Auftrag, sie zu zügeln, ihr nötigen-
falls ein paar Zähne auszubrechen und aus der Bestie ein
Haustier zu machen zum Gebrauch der Diktatur, die ihrer-

seits, die ganze Welt weiß es, die Sanftmut und Menschlichkeit selbst ist.

Hier erscheint wieder die Umkehrung der Werte, an die wir nachgerade gewöhnt sind. Die vom Blut der anderen triefen, nennen Bestien die Menschenklasse, deren unveräußerlicher Beruf es ist, ihre Schandtaten laut beim Namen zu nennen. Die Machthaber werden niemals ganz mit ihnen fertig werden. Das tut nichts, wenn es ihnen nur gelingt, den meisten Furcht einzujagen und eine gewisse Anzahl zu bestechen.

Ob die deutschen Intellektuellen sich die Bezeichnung »Bestie« gefallen lassen oder nicht, sie können nicht umhin, einige Tatsachen festzustellen. Alle, wie sie da sind, waren in der Nähe, als Bücher verbrannt wurden, klassische Werke, die sie für ewig unangreifbar gehalten hatten, und Arbeiten Lebender, denen sie in ihrer Mehrzahl eine manchmal aufrichtige Bewunderung bezeugt hatten. Dieselben Autoren, denen zu Ehren sie einst gerührte Reden gehalten hatten, jetzt verließen sie vor ihren Augen das Land. Andere folgten ihnen aus freien Stücken, und wieder andere konnten nicht umhin, sonst mußten sie die ärgsten Mißhandlungen befürchten.

Die deutschen Intellektuellen, soweit sie dablieben, haben notwendig erfahren, wie es ihren Kollegen ergangen ist, wenn sie bei den jetzt Maßgebenden unbeliebt waren, sich aber aus Armut oder Unverstand nicht in Sicherheit brachten. Sie haben Geschichten gehört, die heimlich verbreitet wurden, und haben sie selbst flüsternd weitererzählt: grauenhafte Geschichten von Gelehrten, die sich vor fahrende Züge warfen, von der Einkerkerung einer alten Künstlerin und von hochverdienten Schriftstellern, die in der Gefangenschaft täglich geschlagen wurden. Aber diese Gefolterten und zum Selbstmord Getriebenen, alle die gewaltsam Umgekommenen und die noch Entronnenen, deren Kraft auf immer gebrochen ist, das waren bis vor kurzem die Gefährten ihrer Arbeit und ihrer Freuden. Sie begegneten ihnen alle Tage an denselben Orten, ein Lächeln auf den Lippen und mit ausgestreckter Hand. Wenn sie jetzt des Nachts kein Alpdrücken haben, dann sind sie offenbar recht widerstandsfähig gegen das Leiden anderer.

Es muß gesagt werden, daß sie an die Stelle der Verschwundenen getreten sind und daß ihre eigene Bedeutung in unverhoffter Weise zugenommen hat, weil andere auswanderten, verboten wurden und ins Elend kamen. Da es ihnen selbst entsprechend besser ging, kann es ihnen leichter gefallen sein, sich zu dem Geschehenen positiv einzustellen. Für viele ist das richtig. Manche hat es im Gegenteil angewidert. Ihnen gebührt Anerkennung, wenn auch unter Fortlassung ihrer Namen. Sie würden Unannehmlichkeiten haben.

Als Bruno Walter in Deutschland nicht mehr dirigieren durfte, eilten Rivalen genug herbei, um statt seiner das Orchester zu leiten, unter ihnen leider auch der am höchsten bewunderte Komponist der letzten Generationen. Ein anderer, gleichfalls berühmter Kapellmeister indessen, der aufgefordert wurde, für Walter einzuspringen, hatte den Mut, zu telegrafieren: Ich bin nicht Richard Strauß.

Gelehrte, die in keiner Weise behaftet waren mit Internationalismus, Marxismus oder anderen Pestbeulen der »Intellektbestie«, nahmen ihren Abschied, verzichteten auf jede öffentliche Wirksamkeit und auf die Genugtuungen einer Beamtenlaufbahn, zum Zeichen des Protestes gegen die willkürliche Absetzung ihrer Kollegen. Über ihren persönlichen Nutzen stellten sie die Ehre des freien Gedankens. Genauer gesagt, begriffen sie die eigene Persönlichkeit nur als Auswirkung des selbstherrlichen Geistes.

In demselben Fall befand sich seinerseits der Kardinal-Erzbischof von München, als er den Verlust seiner Freiheit vorzog, anstatt widerspruchslos hinzunehmen, daß die Unabhängigkeit der Religion angetastet wurde. Katholischer Glaube und Wissenschaft, beide fanden in dieser Zeit der Verfolgungen Männer, die aufrecht blieben, kraft ihres unbezwinglichen Gewissens.

Richter verschmähten es, sich herzugeben, für die Tendenz-prozesse, die in ihrer schwindelhaften Inszenierung so gern verwendet werden für die Propaganda des Systems. Mehrere der Juristen waren den politischen Tagesmeinungen durchaus nicht abgeneigt. Aber ihre Wesensbildung verdankten sie von jeher dem Recht, und in der sittlichen Welt erkannten sie als beständig und heilsam nur das Recht. Es verraten wollten sie nicht; so opferten sie sich.

Sogar in der Akademie der Künste haben sich Überzeugungen behauptet, und einige Mitglieder haben sich von ihr losgesagt infolge der geistfeindlichen Kundgebungen des Regimes. Von ihnen waren die weitaus meisten, was man deutschstämmig nennt; die wenigsten waren Juden. Bemerkenswert ist, daß diese letzteren nicht alle gegangen sind, als sie es in Ehren konnten. Mehrere sind durch ihre Schuld entfernt worden, nachdem sie der tückischen Aufforderung, sich für den neuen Staat zu erklären, entsprochen hatten.

Zur Ausfüllung der Lücken wurde eine Liste neuer Mitglieder veröffentlicht. Der Minister hatte sie allerdings ernannt; verschwiegen wurde nur, daß einige der bekanntesten sich geweigert hatten, der Berufung zu folgen. Nein, die Diktatur verfügt über kein hervorragendes Personal. Begreiflicherweise kann ihr das gleich sein, sie haßt ja die Intelligenz und tut, was sie kann, um ihr jeden Einfluß zu nehmen. Gleichwohl gibt sie sich als Gönnerin der Wissenschaften und Künste, vorausgesetzt, daß diese sich ihren Launen beugen.

Die Republik war sparsam, in Geldsachen hatte sie Verantwortungsgefühl, und große Mittel kamen nie in Frage, nicht einmal als Belohnung hervorragender Arbeiten. Plötzlich ist Hitler da, und das Geld wird zum Fenster hinausgeworfen, märchenhafte Preise sind zu vergeben an eine Literatur, die zwar ohne Klasse, aber gutgesinnt ist. So macht man es, wenn man der Kunst und dem Denken etwas unterschieben will, das Idee und Schöpfung vortäuschen soll. Die Erfahrung hat sie gelehrt, daß man vermittels Geld und Reklame sehr wohl zur Macht gelangen kann, da stellen diese Menschenbehandler sich denn vor, geradeso könnten sie auch den neuen Geist erzwingen, dem sie gleichen.

Wir anderen hatten uns unser Leben lang bemüht, menschliche Wahrheiten in Worte zu fassen und sie zu gestalten, bis sie lebten. Literatur, Kunst und Theater waren Formen des Lebens gewesen auch in dem Sinn, daß sie darstellten, was sich gehalten hatte nach strengen Kämpfen und einer unerbittlichen Auslese. Wir waren ohne Unterlaß der Kritik ausgesetzt gewesen. Wir brauchten oft fünfzehn oder zwanzig Jahre, bis wir für unsere Sache ein zahlreiches Publikum gewonnen hatten. Dafür waren aber einige Namen auch dauerhaft verankert im öffentlichen Bewußtsein, als Beispiele einer sittlichen Erziehung und geistiger Bemühungen, deren Spur nicht ganz vergehen sollte, wenn die Träger der Namen starben.

Die Hitlerleute räumten mit diesen sehr einfach auf, sie nannten sie Kulturbolschewisten. Ganz gleich, ob die Schriftsteller schon unter dem Kaiserreich bekannt geworden waren, jetzt hießen sie Novemberliteraten. Man tut, als glaubte man, erst die Republik hätte uns herausgestellt durch besondere Achtungsbeweise, während sie in Wirklichkeit nur das unbeeinflußte Urteil der Zeitgenossen bestätigte.

Der Rassenstaat hat die Freiheit abgeschafft auf geistigem Gebiet wie überall und vermißt sich, jeden wohlerworbenen Ruhm in Vergessenheit zu bringen, genau wie ein Filmunternehmer einen Star fallenläßt, weil er einen neuen billiger kriegt. Dies System und seine Zutreiber sind so verrückt oder so dumm, daß sie mit Gewalt Begabungen und Werke durchsetzen wollen an Stelle derer, die sie für hinfällig erklären.

Leistungen und Erfolge müssen nicht mehr schwer erkämpft werden, sie entstehen auf dem Verfügungswege; und da das Publikum sich darauf denn doch nicht einläßt, soll es schlankweg gezwungen werden. Der bewußte Hinkel drohte kürzlich den Bemittelten, die keine Theaterplätze kaufen wollten. Nun also! Ins Konzentrationslager mit den widerspenstigen Zuschauern!

Die weichen den Schauspielhäusern aus und lesen die Naziliteratur nicht, weil die Langeweile und Verlegenheit nicht auszuhalten sind, wenn immer nur anspruchsvolle, leere Halbheiten zutage kommen. Ein amtlich beglaubigter Dramenheld mag zehnmal jeden Abend beteuern, er sei echt deutsch, und als echter Deutscher entsichere er beim Wort Kultur seinen Revolver, er geht darum noch niemand etwas an, er rührt an nichts Menschliches. Er ist ein Markenfabrikat im Sinne der gewalttätigen, großsprecherischen Minderheit, der es geglückt ist, das Land zu erobern, aber nicht die Menschen. Die Intelligenz dieser Nation ist tief erniedrigt. Indessen noch in ihrer Erniedrigung bleibt sie stark genug, den Diktatoren das Geständnis ihrer Schwäche zu entreißen. Das Publikum haben sie nicht, die Menschen haben sie nicht.

Die erniedrigte Intelligenz führt eine Art von Gegenbeweis; sie entlarvt die Menschengattung, die sich gar nicht schnell genug zunutze machen kann, daß es keine Intelligenz mehr geben soll. Einer der Heldendramenschmierer, dessen Stück vor gähnend leeren Häusern gespielt wurde, ist der Propagandaminister. Während des vorigen, noch nicht rassisch gesäuberten Zeitalters widmete er sich der Abfassung eines schlechten erotischen Romans. Der andere, der sich gegen die Kultur mit dem Revolver schützt, hatte drei Kriegsjahre lang Irrsinn simuliert, damit er nicht an die Front mußte. Dieser Pflanze ist die Ehre zugefallen, das Staatstheater zu leiten, ebenso wie der Minister gerührt von den unerwarteten Höhen reden kann, zu denen das Leben ihn geführt habe. Weder dieser noch jener begreifen, daß es auch Ehren für Ehrlose gibt.

Seinen literarischen Nachwuchs bezieht das System hauptsächlich aus den Reihen der Alten, Halbvergessenen, die sich über die frühere große Presse zu beschweren hatten. Da sind arme Nichtskönner mit Augen gelb vom Ärger. So lange hatten sie ertragen müssen, daß auch wir noch da waren. Sie zitterten danach, 'ranzukommen, verzweifelt hofften sie auf ihre Stunde. Jetzt ist sie da. Sie sollen sie nur schnell genießen, lange wird sie kaum dauern. Damit aber unser Sinn für Komik nicht zu kurz kommt, bereichert sich die neue Literatur um den ulkigen Gesinnungsmenschen, der seit ewigen Zeiten in falscher Dämonie und gewollter Perversität gemacht hatte, um jetzt plötzlich der Verherrlicher des großen nationalsozialistischen Helden zu werden, eines Opfers der Kommunisten. Bei Lebzeiten war der Held ein Zuhälter; da ist denn zu bewundern, mit welcher doppelsinnigen Begeisterung der Romandichter sich grade bei dieser Einzelheit aufhält, so bedauernswert sie vom Standpunkt der Rassenreiniger sein mag.

Das sind die Prominenten. Da die alten Herren mitmachen, ist es nur natürlich, daß die meisten Jungen sich bereitwillig gleichschalten. Man lebt nur einmal. In Mode ist die Kraft und, in Ermangelung einer wirklichen Kraft, die hysterische Grausamkeit. Loben wir die Sieger! Den Besiegten soll unsere Verachtung gelten! Wir wollen nichts verstehen und keine Werturteile äußern. Hüten wir uns vor der Analyse, und machen wir uns von der Gesellchsaft nur ja keinen erlebten Begriff! Die Sprache darf nicht mehr gepflegt werden, Pflege des Wortes führt zur Menschenkenntnis und zu der einzigen des Namens würdigen Literatur. Es wäre Marxismus, denn der Marxismus ist schon längst keine Theorie mehr: er ist tägliche Erfahrung, die Praxis des Beisammenlebens, ein menschenwürdiges Dasein. Marxismus ist das Übliche und alles, was sich von selbst versteht.

Das herrschende System hält sich für stark genug, gegen alles wirklich Wahre anzugehn. Lassen wir es dabei, wenn wir junge Gleichschalter und von dem Wunsch erfüllt sind, auf kürzestem Weg an die Krippe zu kommen. Uns genügt völlig die falsch heldische Walze und eine lächerliche Vorstellungswelt, die nicht menschlich, aber vorgeblich deutsch ist. Halten wir uns an unser Deutschtum, reden wir nicht davon, daß wir Proletarier oder geistige Arbeiter sind! Immer müssen wir, so oder so, wieder anlangen bei dem »Volk ohne Raum«, das nur die eine Sorge kennt um Gebietserweiterungen; denn einzig an ihrem großen Land unterscheidet man die großen Nationen. Es versteht sich, daß andere Eroberungen mehr geistiger Art nicht den geringsten Anteil haben am Ruhm dieses Landes.

Weiter ist nichts dabei. Wir sind deutsch und nur deutsch. Darauf reite herum, dann wirst du als Schriftsteller begönnert und bist auf bestem Wege, ein Meister zu werden. Übrigens ist gegen dich nichts zu machen. Die Kritik versinkt in den Boden. Zur Zeit des »Kulturbolschewismus« konnte sie niemals anspruchsvoll genug sein. Jetzt ist sie von Amts wegen gewarnt, Werke zu verreißen, in denen das Regime seinen Ausdruck sieht. Sie muß sich hinterhältiger Kunstgriffe bedienen, wenn sie durchblicken lassen will, daß alles das der letzte Dreck ist.

Nein, das Regime verfügt über keine hervorragenden Kräfte, weder in der Literatur noch auf anderen Gebieten geistigen und sittlichen Wirkens. Es hat Brauchbare für sich, und massenhaft laufen ihm Schwache zu. Abgeschnitten von der wahren Literatur, die ausgewandert oder zum Schweigen gebracht ist, werden sie noch schwächer. Es berührt sie nicht mehr, Intellektbestien genannt zu werden; an zuviel Intellekt gehen sie ohnedies nicht zugrunde. Sollen sie aber Bestien sein, dann finden sie darin nichts Kränkendes. Bestien sind beliebt.

Manche Schriftsteller mittleren Alters besinnen sich wohl noch darauf, daß sie einst geistig beflissene Menschen waren. Davon ist ihnen etwas geblieben, sie hätten nicht übel Lust, die Versöhnung herbeizuführen zwischen der Intelligenz und der rohen Gewalt, deren Anhänger sie jetzt sind. Sie errei-

chen dies aber höchstens mit einem Haufen leerer Redensarten und absichtlicher Mißverständnisse. Einer von ihnen
hatte lang und breit, ausdrücklich für Frankreich, die Verteidigung des deutschen Nationalismus unternommen. Damit hat er hauptsächlich erreicht, daß seine französischen
Leser diesen Deutschen seitdem für moralisch unzulänglich
halten. Denn sie stellen fest, was aus dem gerühmten Nationalismus inzwischen geworden ist: der Terror; und was aus
dem Autor: ein Parteigenosse Hitlers.

So einer findet, daß jede siegreiche Bewegung ihre Rechtfertigung schon mitbringt. Nun, wenn dann morgen die kommunistische Bewegung siegt, werden wir die Freude erleben,
daß er sich dort anzubiedern versucht und mit Fußtritten
weiterbefördert wird. Im Augenblick ist die Hitlerei dran,
und der bewährte Kenner von Volksbewegungen hat von
dieser keine Ahnung. Zu seinem Glück weiß er nichts mehr
von all den beschämenden Umständen, infolge deren es
schließlich geschehen konnte, daß eine schon in Verruf und
in Auflösung geratene Partei doch noch zur Macht kam. Eine
schauerliche Korruptionsaffäre war der Grund. Die mußte
begraben werden, und zu Hilfe rief man diesen Hitler, der
selbst nur, von Kopf bis Fuß, das Geschöpf internationaler
Korruptionisten war.

All die blutige Schande, die für mein Land daraus gefolgt
ist, war durchaus vermeidbar; nur mußte ernsthaft widerstanden werden, vor allem seitens der Intellektuellen, anstatt daß sie sich feige anpaßten und Verständnis heuchelten.
Ich kann nichts anfangen mit verschwommenen Rechtfertigungen einer Bewegung, deren Unmenschlichkeit in die
Augen springt. Ich weiß wohl, daß sie gewissen Richtungen
der Zeit entspricht, und wahrscheinlich führt sie durch Blut
und Schmutz dereinst in andere Zeiten, die es wieder wert
sind, gelebt zu werden. Alles was geschieht, kann zuletzt für
null und nichtig gelten, einfach, weil das Leben weitergeht.
Das heißt noch nicht, daß es gerechtfertigt ist vor der Ver-

nunft und angesichts der Menschheit. Die gehäuften Leichen des Volkes, des echten deutschen Volkes, reden eine Sprache, klarer und überzeugender als die der Haarspalter und Tanzderwische.

Selbst Literaten müssen wissen, daß alle Einrichtungen, die den meisten das Leben erträglicher gemacht haben, marxistisch sind und daß die Diktatur sie nur zum eigenen Vorteil unterschlagen hat, wie sie ja auch die Kassen stahl. Sie hat noch mehr gestohlen – sogar die kommunistischen Gesänge, deren Melodien die Leute Hitlers benutzen zur Feier ihrer blutgierigen, mit Unfruchtbarkeit geschlagenen Gottheit.

Auch Intellektuelle, die volkswirtschaftlich nur wenig beschlagen sind, hätten doch feststellen müssen, welch einen abscheulichen Hohn die Machtschieber mit dem proletarischen Maifest trieben. Zuerst wurden die Arbeitergewerkschaften gezwungen, sich zu beteiligen, aber genau am Tag nachher zerschlug man sie und verhaftete ihre Führer. Wie hier der Untergang politischer Gegner in Szene gesetzt wurde, das gehört zu den gemeinsten Handlungen, die das Gedächtnis der Menschen aufbewahren wird. Die Verüber brachten dasselbe sogar nochmals fertig, als sie gleich nach der Unterzeichnung des Konkordats mit dem Papst eine ihrer abscheulichsten Zwangsvorstellungen in Wirklichkeit umsetzten. Sie schritten zur Unfruchtbarmachung anderer Menschen.

So etwas verüben sie unfehlbar nach jeder öffentlichen Gelegenheit, bei der sie sich ungefähr zivilisiert aufgeführt haben. Das innere Gesetz, nach dem sie verfahren, ist eine unheimliche List, wie sie Irrsinnigen eignet. Die Herren des Tages gleichen für Literaturkundige aufs Haar den Verrückten aus der Novelle von Poe, die ihre geistig gesunden Wächter eingesperrt haben und nun endlich hausen können. Da hört man denn den einen seinen sauberen »Führer« mit Jesus Christus vergleichen, und ein anderer bemißt die Dauer des »Dritten Reiches« auf zwanzigtausend Jahre! Worte fallen wie dieses: »Im Ausland gibt es Psychoanalyse, Marxismus, Paragraphen –.« Nicht aber im Irrenhaus. Dort ist man ohne geistige Aufsicht, asozial und an Gesetze nicht gebunden. Man redet und tut, was durch das leidende Gehirn zuckt. Weder Kritik noch die Zwangsjacke sind zu fürchten, die Wächter sitzen hinter Schloß und Riegel.

Literarisch Denkende teilen die Menschen in sittliche Typen, danach urteilen sie. Ich will glauben, daß hinter den kopflosen Rechtfertigungen, denen manche Gleichgeschaltete sich ergeben, geheimes Grauen steckt. Bei aller unbestimmten Sympathie mit der Rassenpartei hatte man sich immerhin nicht vorgestellt, was aus ihr noch werden würde, wenn sie erst richtig freie Hand bekäme. Jetzt fühlt man sich mit verwickelt in Verbrechen, die man denn doch nicht gewollt hatte. Um so heftiger gibt man sich; nur hinzusehn vermeidet man peinlich. Gegen die Verzweiflung schützt ein Panzer aus freiwilliger Unwissenheit.

Übrigens müssen die Gleichgeschalteten fühlen, daß sie völlig überflüssig sind. Das System braucht sie im Grunde nicht, um das Volk abzuschlachten, zu erniedrigen und zu verdummen. Sie bleiben beiseite; ihre Stimmen, die schon nachlassen, werden bald untergehn im Heulen des Sturms, der erst anfängt. Der wird Schluß machen mit den Ausschreitungen der falschen Intelligenz, die sich hat ducken lassen, bis sie niedrig war.

Es kommt nach dem Sturz Hitlers. In seiner Unfähigkeit hat dieser Mensch alles niedergerissen, nichts aufgebaut. Seine Sturmtruppen haben die Gewohnheit angenommen, gegen ihn aufzumucken. Eine nach der anderen muß er auflösen, eine nach der anderen verschwindet in Konzentrationslagern. Die Kräfte, auf die er sich stützte, laufen ihm davon, er hängt in der Luft, und ob er gebietet, wütet oder zappelt, Leere entsteht um ihn und die verschlossene Villa, der niemand zu nahe kommen darf. Jeder Beliebige kann ihn stürzen, und erst recht die nicht Beliebigen, die nur seit 1914 in ihrer Entschlußfähigkeit wesentlich verändert scheinen.

Dann wird er also zusammenbrechen an dem Tage, da die jetzt unauffindbaren Waffen der aufgelösten SA in den Händen der Kommunisten wiederauftauchen werden. Diese für die Öffentlichkeit gar nicht vorhandene Partei ist in Wirklichkeit die zahlenmäßig stärkste Deutschlands geworden. In freien Wahlen bekämen die Nationalsozialisten vielleicht noch zwanzig Prozent der Stimmen, die Kommunisten aber sicher mehr als sechzig Prozent. Unter der Republik hatten sie nicht die geringste Aussicht gehabt, je zur Macht zu gelangen. Der politische Unverstand einiger reicher Leute glaubte durch Hitler und seine Bewegung die deutschen Arbeiter versklaven zu können wie arme waffenlose Neger. Damit haben sie das, was ohnehin kommen muß, um ein halbes Jahrhundert vorgerückt.

Der herannahende Kommunismus ist das Wirkliche, es bricht sich Bahn durch den Schwindel der Hitlerei. Dabei bleibt es, sollten auch die ersten Versuche scheitern oder ausarten. Denn der Kommunismus wird durch den Zwischenfall Hitler vielleicht nicht grade abgekärt worden sein. Anzunehmen ist, daß die SA-Männer nach einem Wechsel in der Lehre und der Befehlsgewalt noch immer weder maßvoller noch logischer werden. In Deutschland wird das öffentliche Geschehen fast nie von der Logik bestimmt, sondern vom Gefühl. Davon hat sich nun reichlich viel angesammelt seit der unheilvollen Erziehung durch die Rassenpartei, und es sind nicht grade liebenswürdige Gefühle.

Wir können uns nur in Geduld fassen, wir Intellektuelle, die unser Land verließen um unserer Geistesfreiheit willen und damit wir selbst in Freiheit blieben. Ich hatte die Pflicht, einigen Stunden deutscher Zeitgeschichte ihren eigentlichen Sinn abzugewinnen, und dies zum Besten der Nation, der ich angehöre, wie auch anderer Nationen. Ich wahre meine persönliche Aufrichtigkeit und wache über ein paar Funken

Sammlung der Kräfte

1934

I

Es wäre schwer, geistige Kräfte dort zu sammeln, wo sie, allen bekannten Tatsachen zufolge, vernichtet worden sind. Der zeitweiligen Übermacht, die aus niedrigeren Gegenden des Lebens heraufkam, erlagen in Deutschland alle, die sich für geistige Kräfte nur ausgegeben hatten. Sie hatten sich's mit der früher gewährten Freiheit bequem gemacht. Der Unberufene, der mit schlechtem Gewissen den Schriftsteller spielte, mißbrauchte gern die Freiheit, um sich für eine Gewaltherrschaft zu erklären; denn diese beseitigt die Rangliste der Talente. Der Unberufene fühlte sehr wohl, daß von der Gewalt die Schriftsteller endlich gleichgemacht und unterschiedslos erniedrigt werden; ausschließlich darum erklärte er sich gegen die Freiheit. Sogar die einfache öffentliche Äußerung ist eine Funktion der menschlichen Freiheit – um wieviel mehr die Literatur. Aber nach dem Ende der Freiheit wird das grobe Mißverständnis künstlich aufrechterhalten, unter der Diktatur, dem Terror, der Lüge als erster Voraussetzung, könnte es eine Literatur geben.

Die Wahrheit ist von schrecklicher Einfachheit. Systeme der Gewalt vernichten vor allem, was sie vernichten, zuerst den Gedanken. Menschen, die in das System der Gewalt nicht hineinpassen, Menschen können sich noch verstecken und durchbringen: Gedanken nicht, und Anschauung nicht. Gedanken sind nicht zollfrei, sondern werden von findigen Machthabern sicherer erfaßt als Menschen, Waren und Geld. Dafür hat man die Zwangsorganisation der Schriftsteller und andererseits ihren Ausschluß vom Beruf. Man hat den Hungertod, aufgehalten durch Versuchungen: Staatspreise von unredlicher Höhe und Ehrenstellen, verteilt nach unerkennbaren Ratschlüssen, denn wer verdient hier mehr staatliche Ehre als der andere. Alle Opfer der Verhältnisse, die auch wieder Vorteile bieten, haben sich gleich trefflich mit ihnen abgefunden. Ihre Bemühungen sind amtlich beschränkt und gelenkt. Wollte jemand zum Beispiel, auch ohne Marxist zu sein, das Leben Marx' als eines kämpfenden, leidenden, siegenden Menschen darstellen? Er verfällt darauf nicht, aber er darf es auch nicht. Gut, dann ist er schon vernichtet, ohne daß er weder gekämpft noch gelitten hat. Ihm hat gefehlt, was die Gefahr des Denkenden und auch sein großer Glücksfall ist: der Stolz.

In Deutschland wird jetzt jeder Stolz gebrochen. Am Stolz der meisten Intellektuellen war nichts zu brechen, wie sich zeigt. Niemand hat so lautlos und schnell wie sie dem Druck einer öffentlichen Lage nachgegeben. Nicht Zwangsorganisation und Hungertod waren gegen sie die wirksamsten Mittel; noch mehr tat die Furcht, nicht dabeizusein, ins Hintertreffen zu kommen und allein zu bleiben. Die Furcht vor der Vereinsamung kann sich wahrscheinlich heute messen mit der Furcht vor der Folter und dem gefälschten Selbstmord. Ein Denker, erst recht ein gestaltender Denker, muß allein bleiben können: erstes seiner Wagnisse. Nur wer es trägt, wird schöpferisch. Niemandem sonst als seiner unmittelbaren Persönlichkeit wird eine Schöpfung glücken – keinem Verein, der sich zwischen ihn und seine Arbeit einschiebt, keiner Richtung und Lehre, ob amtlich befohlen oder nicht. Aber Gesetze befolgen sie plötzlich, man steht und staunt: Gesetze über ihre Gesinnung, den Umkreis ihrer Stoffe, ihrer Menschen und über die Einblicke, die sie sich allenfalls erlauben oder schon nicht mehr erlauben dürfen. Daraus sollen dann Dichtungen werden; indessen kommt es höchstens zu einer Karriere, wie jeder sich selbst sagen kann.

Es scheint möglich zu sein, daß man gemeinsam alles vergißt, was der einzelne weiß; und die Berufsklasse der Schriftsteller ist von den Beherrschern Deutschlands grade darum so straff organisiert worden, damit die Erinnerung verlorengeht, was eigentlich ein Schriftsteller ist. Genug, es soll ihn nicht mehr geben, falls er in großen Fällen bis dahin dennoch vorgekommen wäre – nicht den, der mit Leidenschaft versunken war in seine Wahrheiten und Träume; nicht den, der es darauf ankommen ließ, ob Zulauf und Erfolg sein Teil sein sollten; nicht den, der wartete, sich beschied und frei von Bitterkeit erhielt. Er hatte den Ruhm als Ziel im Unendlichen, damit er für ihn die Werke dauerhafter machen könnte. Wenn der Ruhm aber leibhaft eintrat, begegnete er ihm mit Zweifeln angesichts ihrer beider Fragwürdigkeit und Gebrechlichkeit, des Ruhms und seiner eigenen. Er hatte, wenn es hoch kam, wohl auch Führerschaft darzustellen eine Zeitlang und für eine begrenzte Gefolgschaft. Das war einer der Gewinne aus seiner Selbstbehauptung, nicht mehr. Ihren größeren Sinn verwirklichte das Werk, als Kundgebung eines Lebens, das schwer wog.

Von dieser schweren und hohen Daseinsform, der einzigen des gestaltenden Denkers, sehe man weg und zu der deutschen Schriftstellerorganisation, einer »Gefolgschaft« wie irgendeine im Lande. Weit entfernt, sich behaupten und selbst führen zu wollen, haben sie einem »Führer«, der nicht deutsch kann, unverbrüchliche Treue geschworen – sofort, auf Anhieb und bevor sie im geringsten voraussahen, wohin er sie noch bringen würde. Er brachte sie aber, mit dem ganzen Deutschland, in einen Zustand der Verwilderung – und dies einmal erreicht, legten die Schriftsteller ihren zweiten Eid ab, es war November geworden: hierzu zwang niemand sie. Achtundachtzig von ihnen unterschrieben ein Papier, sie selbst hatten es sich ausgedacht, und schwuren freiwillig nochmals »treueste Gefolgschaft«, als ob sie dazu nicht schon lange eidesstattlich verpflichtet gewesen wären. Allerdings konnten sie seit ihrer ersten Verpflichtung auf das Regime wirklich ermessen, was sie schwuren, deswegen ihr Entschluß. Sie fürchteten den Verdacht, das seither Geschehene wäre ihnen denn doch zu stark. Nur das nicht! Das Volk zwar hatte seine Ausschreitungen meistens hinter sich, jetzt schnell noch die des intellektuellen Pöbels! Die Masse huldigte nachgerade nur gezwungen, da begannen die Schriftsteller sich aus Dienstfertigkeit hinzulegen, ihr Verein bot sich zur Unzucht an statt des Vereins der Bandagisten, der genug hatte. Man ermesse! Im November war der Zauber im Abflauen, und die Masken saßen nicht mehr fest. Kaum faßbar: die Menge, die nichts lesen durfte, war dennoch weiter im Text als diese Schriftsteller, die unmöglich ganz ohne Bericht und Einblick geblieben sein konnten neun Monate lang. Sie aber zögerten nicht und machten sich mitverantwortlich.

Das ist ihr Verhängnis. Durch ihren zweiten, freiwilligen Eid vom November 1933 sind sie mitschuldig geworden an allem, was bis dahin verübt worden war, an allem, was noch kommen sollte bis heute und was bevorsteht. Die achtundachtzig sind bei allem die unverbrüchliche Gefolgschaft, ob alte Juden das verunreinigte Gras mit den Zähnen ausreißen mußten oder ob Erich Mühsam unausdenkbare siebzehn Monate lang gemartert und endlich, damit niemand je die Spuren erblickte, aufgehängt worden ist. Sie waren die Gefolgschaft gewesen, als Ungezählte auswanderten, um nicht nur ihre Freiheit, sondern ihr Gewissen zu bewahren – indessen waren sie nicht diesen gefolgt, bei weitem nicht. Die Arbeiter wurden versklavt, die Nation wurde zur tierischen Rasse erniedrigt und diese dann, nach Gebühr, zu tierischen Diensten: die Gefolgschaft steht dafür ein. Die Gefolgschaft verantwortet die internationale Entehrung Deutschlands, durch Machthaber, die an der Welt dieselbe hirnlose Niedertracht auslassen möchten wie an ihrem Land und Volk. Die Gefolgschaft der geistig Geübten, das sind sie ja wohl, denen nichts so nahegeht wie Menschenpflege oder Kultur, so ist es doch – bürgt für einen Machthaber, der am 30. Juni und an den folgenden Tagen gehaust hat wie nur ein armes Tier, das reißend wird, es kann nicht anders. Die Gefolgschaft kann auch nicht mehr anders. Das alles ist ihre Sache geworden.

Drei Schriftsteller, soviel man erfahren hat, sind bei dem vorigen Gemetzel umgekommen. Die Gefolgschaft, die keinen ihrer Angehörigen auch nur eine Stunde des Lebens von der Leine läßt, hat zu diesen Todesfällen kein Wort gefunden, weder die achtundachtzig Unterschriebenen noch alle anderen. Sie hatte ein für alle Male treueste Gefolgschaft gelobt.

Sie stehen unter dem schauerlichen Gesetz der Feigheit. Wer einmal gegen sein Wissen und Gewissen zugestimmt hat, muß für seine Unschädlichkeit und Verläßlichkeit dem Herrscher immer verstärkte Beweise liefern. Diese werden nicht verlangt: er fühlt allein, was er zu tun hat, tut es übrigens fast so sehr für sich wie für den Gebieter – damit er vor sich recht behält. Es soll doch zulänglich begründet sein, daß er noch immer in seiner Villa wohnt, und die anderen – die Besseren, wie er sehr wohl weiß – können oder wollen nicht zurück in das Land, zu schweigen von den im Lager Verwahrten. Das alles muß er begründen und rechtfertigen. Die anderen haben den Markt nicht mehr, er behält ihn für sich allein, er besetzt Ehrenstellen, er kassiert Preise. Für dies alles zahlt sein Gewissen, bis es verbraucht ist. Die Verfälschung der Begriffe und die Vergiftung des Gefühls machen aus dieser Art von Schriftstellern – gewiß nichts anderes, als sie im Grunde schon vorher gewesen. Weniger entscheidende Proben auf ihre Echtheit hätten ihnen die äußerste Enthüllung erspart. Ihre sittliche Schlaffheit, ihr geistiger Verrat liegen jetzt offen zutage und, wie zu hoffen wäre, endgültig. Das sollte nicht vergessen werden, diese wohlerworbene Erfahrung, daß die Schriftsteller in Deutschland sich als vollauf entbehrlich erwiesen haben – ihre organisierte Gesamtheit als vollauf entbehrlich. Sie sind nicht die Führerpersönlichkeiten, die sie zu sein hätten, das ist ihnen selbst gewiß aufgefallen. Ihre Herren andererseits haben sich überzeugen können, daß sie als »Gefolgschaft« ziemlich das letzte sind, nachhinkend, übertrieben und die reinste Verlegenheit. Steht es aber so, wozu braucht die Gewalt noch Schreiber? Da so viele Geld bekommen, findet man auch sie ab, man gibt ihnen Preise in einer Höhe, als wären es Bestechungen. Aber es ist nicht einmal das, nur der Schein soll gewahrt bleiben, als hätte das Regime es nötig, sich auch geistig noch durchzusetzen, anstatt bloß mit Morden. Die Morde genügen.

Jedem künftigen Staat wäre zu empfehlen, daß er die Berufsklasse der Schriftsteller schlechthin eingehen läßt. Sie können nicht viel, das wäre zu ertragen; aber damit hängt eng zusammen, daß sie auch nichts sind und auf sich nicht halten – das einzige, was ihren Typ ohne Frage auszeichnen müßte vor jedem anderen im Lande. Der nationalsozialistische Staat ist zu bedauern für alle die Mühe, die er mit ihnen sich glaubt machen zu müssen: das führt zu nichts. Die Ausnahmen, die er zu fürchten hat, die erfaßte er nicht. Die haben sich ihm von Anfang an entzogen, sogar, wenn sie im Lande blieben.

II

Aus Deutschland dringen heimlich, auf den geschicktesten Umwegen die Klagen über das Ende des geistigen Lebens, die Entrechtung der intellektuell Gesinnten, über den Raub, den die herrschende Bande vornimmt an den kulturellen Einrichtungen »der vergangenen vierzehn Jahre«, soweit sie die Einrichtungen nicht schon zerstört hat. Die Arbeit der Versuchsschulen und die Schullandheim-Bewegung werden auf Ausstellungen als nationalsozialistische Errungenschaft vorgeführt, aber Photographien mit den Jahreszahlen 1927, 1928 liegen offen daneben. Unabänderliches System: hier wie überall ist es die augenscheinliche Lüge, die hinzunehmen aus Furcht und Schwäche jeder gezwungen sein soll. Es gibt immer noch einzelne, die es schwer ertragen, es gibt Kreise, wenn auch kaum mehr Schichten.

132

Aber da auf Umwegen protestiert wird, da gelitten und geklagt wird, alles heimlich, könnte im verborgenen auch gekämpft werden. In einem solchen Lande sollte wohl einer am wenigsten fehlen: der Gott, der ihnen gibt, zu sagen, was sie leiden. Vielleicht, daß jemand am Abend seine Tür schließt und endlich ablegt, was ihm den ganzen Tag vor sich selbst übel gemacht hat, seine Angst und Heuchelei. Dreifach verwahrt erwartet ihn seine Arbeit, eine aufrichtige Beschreibung des umgebenden Lebens und seines eigenen, wobei dann schöne Dinge ans Licht kommen könnten, das Dritte Reich als Welt der Herzen: wie es sie zurichtet, was es ihnen aufzunehmen und hindurchzupumpen gibt. Dieser Schriftsteller wäre ein Held, obwohl ein unterirdischer; sein Werk wäre dem schlechtesten Leben abgerungen und wäre die Befreiung des Erniedrigten.

Das könnte dortzulande heranwachsen in einer drohenden Stille; nur wissen wir es nicht. Auch kann die geheime Schlacht hinter der verschlossenen Zimmertür endlich doch verlorengehn. Viel kommt auf die Dauer des Dritten Reiches an und auf die weitere Haltung der unterworfenen Deutschen, die wahrhaftig nichts Gutes versprechen. Sie sind längst weitab von der Wirklichkeit und erkennen das Ungeheuerste nicht mehr. Sie werden sich noch derart wegwerfen an das regierende Verbrechen, daß der unter ihnen ausharrende Schriftsteller den Mut verliert und seine Arbeit am liebsten ins Feuer steckte. Er hat es zu schwer – ein einzelner, und ein ganzes Land setzt ihn unter Druck, mit eifriger Beihilfe der gesamten Schriftsteller.

Der Kampf um die Seele wird aussichtsreicher jenseits der Grenze, so schwere Mühe es jetzt auch macht, sich physisch zu erhalten. Man ist außerhalb des Bereiches der staatlichen Bestechungen und Versorgungen. Auch kommen keine Zwangsankäufe von Büchern und befohlene Bühnenaufführungen jemals vor, wenn man emigriert ist. Vor allem das Gefährlichste ist hintertrieben, unser Absatz an ein freiwilliges Publikum, das heute zweifellos größer wäre als das Dritte Reich noch verträgt. Auch fehlt der Rückhalt an einer Organisation der Wohlgelittenen. Viel eher werden die Schriftsteller im Exil von Deutschland her verfolgt, persönlich und in ihren Schriften. Sie sollen womöglich noch verlieren, was an Erwerb nach dem Verlust des deutschen Marktes in der Welt für sie übrigbleibt. Das deutsche Propagandaministerium hat Helfer überall, und diese raten dem fremden Publikum, doch nicht die Flüchtlinge zu lesen, die für ihr Land ja nichts bedeuten, sondern die echten Deutschen, die geduckt in ihren Villen wohnen und kein wahres Wort vorbringen, gesetzt, dies wäre jemals ihre Natur gewesen. Indessen, Deutschland ist kein sicheres Land, in ihren Villen wohnen alle nur vorläufig. Die seither Entheimateten kannten schon zu Hause die Existenzangst, das verbreitetste deutsche Gefühl neben dem Haß, und mitbeteiligt an jeder deutschen Katastrophe. Sie haben ihre Existenzangst in die Fremde getragen; jetzt leg sie ab oder geh mit ihr zugrunde!

Bei dieser Wahl, vor die jeder gestellt wird, haben die Prüfungen des Exils sich in strenge Wohltaten verwandelt. Man steht allein und ist gehalten, sowohl stärker als bescheidener zu werden. Es ist die gute alte Schule des Unglücks, die zuletzt immer auch die des Glücks ist. Nimm dich zusammen und erwarte nicht viel. Vor allem erwarte, was dir noch beschieden sein wird.

Die deutsche Lebenslüge

1936

Eine unglückliche Geschichte ist nicht auszulöschen. So lebendig ist keine andere geblieben wie die unglückliche Geschichte Deutschlands. Sein Volk büßt heute Versäumnisse, die vierhundert Jahre alt sind. Es zehrt an überlebten Mißerfolgen. Eine historische Scheelsucht ist der eigentliche Boden seines merkwürdigen nationalen Bewußtseins. Dies Volk hängt an Mythen, die seine Lebenslügen sind. Eine Lebenslüge kann armselig, aber wohltätig sein. Deutschland belügt sich seit siebzig Jahren mit zunehmender Bösartigkeit. Seine Rachepläne gegen die Welt sind nur ausschweifender geworden, sein Wüten gegen sich selbst nur trister. Dem Träger einer unglücklichen Geschichte, der sich dauernd verkennt und vermißt, kann Gutes nicht bevorstehen. Nach ungezählten falschen Schritten drängt es die Deutschen des heutigen Zustandes zu dem letzten falschen Schritt. Das wäre der Krieg, für den sie rüsten.

An dem unglücklichen Ende ihres Krieges, viel zu spät würden sie bemerken, was sie aufs Spiel gesetzt hatten: mehr als ihre Einheit, die ohnedies noch niemals verwirklicht war; mehr als ihre eingebildete Weltmacht, wie wenn ihnen eine Weltmacht je wäre zugedacht gewesen; auch mehr als ihren Rassenmythos, ihren Mythos vom auserwählten Volk und den übrigen Inhalt ihrer Lebenslüge – viel mehr. Das Land, das Land selbst, in dem sie wohnen, es ist ihr Einsatz; um ihr Land wird es gehen in dem von ihnen gewollten Krieg. Glauben sie denn, daß nur andere Länder durch Niederlagen in Kolonien verwandelt werden könnten? Sie finden es ganz natürlich, die Ukraine oder sogar das halbe Frankreich in deutsche Kolonien zu verwandeln. Bedingung ist allein, daß gesiegt wird. Wenn aber die anderen siegen? Kein Wehrwissenschaftler scheint sich überlegt zu haben, daß auch Deutschland geeignetes Kolonialgebiet liefern könnte, und gerade das deutsche »Menschenmaterial«, willig und tüchtig wie es ist, würde dem Kolonisator jede Chance bieten.

Mit Kolonien wird herkömmlicherweise nicht gefackelt. Die Bevölkerung wird zu einem Teil am Leben gelassen, zum anderen nicht. Es gibt zeitgemäße Methoden: die Deutschen selbst erproben sie soeben an ihren Juden und an ihren Staatsfeinden. Aushungern, ausbürgern, in Lagern verkommen lassen, das Verfahren kann ausgebaut und vertieft werden. Ausrottung selbst im größten Maßstab wird immer annehmbar und erlaubt scheinen, solange sie sich an die moderne Technik hält. Sterilisierung der Geschlechter, Abtreibung der wirtschaftlichen Existenz haben als Formen der Ausrottung noch eine große Zukunft. Niemand ist davon durchdrungen wie die Deutschen, die dies alles im kleinen, dann im mittleren Maßstab zu Hause betrieben haben. Sie hätten auch nicht die Wahl. Die Einwohner sogar der am dünnsten bevölkerten Länder wären für den Kolonisator noch zu zahlreich. Wozu die ganze Eroberung, wenn die Eroberten im Besitz des Landes und der Produktionsmittel blieben oder das Bürgerrecht behielten. Man bedenke, daß im Staat der Deutschen von sechsundsechzig Millionen nur zwölf Millionen vollgültige Bürger sind. Danach kann ermessen werden, was den Ureinwohnern der vorgesehenen Kolonien bevorstände, falls sie sich von Deutschland unterwerfen ließen. Übrigens denken sie nicht daran.

Sowohl Frankreich als die Ukraine sind gegen Überraschungen von seiten dieses Deutschlands zweifellos gesichert: zuerst moralisch, dann militärisch. Eines bedingt das andere. Der geistig Geradgewachsene wird der bessere Krieger sein. Ein Krieger schlägt sich niemals belangvoller als für sein gutes Gewissen. Es ist weder leicht noch bekömmlich, zweitausend Jahre Recht abzuschaffen, sei es mit allen Behelfen des Schreckens, und dagegen die Rache an der eigenen Geschichte, das sinnlose Haßgefühl und die nackte Gewalt für Recht zu erklären. Zwar meldet sich in dem allen nur wieder die längst bekannte deutsche Lebenslüge, dies aber ist ihr gefährlichstes Auftreten. Die deutsche Lebenslüge ist in das offene Tribunal gestiegen, und sie allein entscheidet jetzt dortzulande. Nun läßt sich in Menschen die nationale Verlogenheit wohl züchten, solange es keine größeren Schrecken gibt als die der Staat anwendet, um sie zu züchten. Die Schrecken des Krieges sind noch etwas größer. Nach allem Ermessen muß die nationale Lebenslüge unter ihnen zusammenbrechen. Indessen noch ist Vorkrieg, die deutsche Lebenslüge hat den Rest ihres Weges zu machen.

Was für ein Zustand unter der Gewaltherrschaft der nationalen Lebenslüge, welche Phantastik aller Einzelheiten! Der Deutsche ist gehalten, seine Briefe in keinen anderen Kasten zu werfen als den nächsten bei seinem Haus. Ingenieure, die aus der Sowjetunion nach Deutschland zurückgekehrt sind, werden bei Leib und Leben verpflichtet, nichts verlauten zu lassen von allem, was sie gesehen und an Kenntnissen mitgebracht. In Deutschland muß viel ausgekundschaftet, aber nichts darf bekannt werden, damit der Lügenbau des Staates notdürftig zusammenhält noch die genaue Zeit. Gerade damit steht es anders in den von Deutschland begehrlich angeäugten Ländern. Diese dürfen im Gegenteil über Deutschland alles wissen, sie können nicht genug wissen über Deutschland; die Nachrichten sind höchst ungeeignet, ihre Völker zu verführen. Weder der französische Proletarier noch ein Soldat der Roten Armee werden im künftigen Krieg an der Hinschlachtung Deutscher sittlich gehemmt sein durch verbotene Neigungen für das Dritte Reich. Darauf ist nicht zu rechnen. Etwas ganz anderes ist statt dessen zu fürchten.

Die Deutschen trompeten ihre »Weltanschauung« hinaus in die Welt, der sie vielmehr strengstens verheimlichen sollten, wie Deutschland sie anschaut. Bücher wie die von Rosenberg und Hitler hätten niemals als Massenartikel auftreten dürfen; im kleinsten Kreis, durchaus wie die nahe verwandten »Weisen von Zion«, hätten auch diese Rabbiner der Weltherrschaft sich genügen müssen. Hitler und Rosenberg antworten, daß die Weisen von Zion es leicht haben, den Mund zu halten, da sie ja nicht existieren. Aber auch was die Deutschen ihre Wehrwissenschaft nennen, hätte jenseits ihrer Grenzen niemand erfahren dürfen. Was tun sie indessen? Sie veranstalten eigens ein Buchdumping, damit das Ausland zu Schleuderpreisen sich alles aneignen kann, was jetzt deutsch ist. Da lernt dann das Ausland, staunt, entsetzt sich, verachtet und haßt, was es lernt; aber unmöglich ist, den deutschen Lehren fremd zu bleiben. Deutschland will übrigens, daß alle werden sollen, was es selbst aus sich gemacht hat. Welch eine helle Freude über jeden bekehrten Westeuropäer, dem Deutschland durch Goethe nichts zu sagen hatte, aber um Hitlers willen verehrt er es! Solche Gestalten sind die ständigen Gäste Berlins, sie lösen einander ab, lange Reihen, aus Ost und West; und was sie erleben und mitnehmen –

Was sie mitnehmen ist die unmenschlichste Geisteshaltung in geschichtlicher Zeit, eine Ausgeburt menschlicher Verwüstung und Niedertracht. Aber es macht Eindruck, weil es ungehemmt durch Vernunft und im Sittlichen orgiastisch ist. Mit Menschen umspringen wollen wie mit Zuchtvieh, glänzend! Nach Gutdünken entscheiden, wer leben darf und wer nicht, ein Fest! Den Völkern, sobald man sie in der Hand haben wird, dasselbe versprechen, was an Menschen, die man in der Hand hat, schon jetzt geschieht, zu schön, um wahr zu sein! Die Botschaft ist sicher, Glauben zu finden, das Beispiel wirkt. Die sittlich Minderwertigen aller Gegenden kehren aus Berlin und Nürnberg zurück und haben ihr Mekka gesehen. Unter Hemden in jeder Farbe klopfen dieselben tatbereiten Herzen; und die Unzucht am Menschengeschlecht, die sie zu treiben gedenken, der Mord am Menschentum, den sie sich vorsetzen, die Verhöhnung und Erniedrigung des

Namens Mensch, worin sie zum Gipfel streben – aus Deutschland bringen die vereinigten Minderwertigen es heim, all das ist deutscher Überfluß, das besitzt ein sonst verschuldetes Land, und hierin sind alle in seiner Schuld. Nie zu vergessen: aus Deutschland kehren die Hemden in ihr Land zurück, um mit frischem Mut herauszufordern alle, die im Herzen noch Ehre und Gesittung tragen. Wer fordert wirklich heraus? Deutschland. Das sollte sich an allen rächen, nur nicht an Deutschland?

Das deutsche Treiben ist gefährlich, bei weitem am gefährlichsten ist es für Deutschland, wie sich noch herausstellen wird. Aber dieses ist offenbar gesetzmäßig so weit gelangt, es handelt nach dem unausweichlichen Gesetz seiner Geschichte. Wer ewig an überlebten Mißerfolgen weiterzehrt, wird es allerdings mit denen, die ihm die Mißerfolge vorgeblich zugefügt haben, zuletzt nicht mehr aushalten. Der Weltteil soll deutsch werden oder untergehen – was außerdem längst vorher durch Rundfunk überall verbreitet werden muß. Denn die immer zunehmende Bösartigkeit macht »dynamisch«; aber sie macht auch geschwätzig. Man verrät sich, und den Selbstverrat nennt man Propaganda. Dazwischen entsinnt man sich der gebotenen Schlauheit, dann steigt unvermittelt ein Hymnus auf den Frieden, man gebärdet sich wütend vor Pazifismus und droht mit dem Ölzweig wie sonst mit der Bombe. Listig wie nur die Dummheit – kein Mensch glaubt ein Wort. Der Ton der Friedensreden enthüllt alles, niemand muß ihre Sprache verstehen. Auf der Straße, im fernen Land steht ein Wagen, die deutsche Radiostimme schallt hervor, unausgebildet und roh, ein Gebell. Die angesammelten Neugierigen wissen beim zehnten Wort, was das ist; verstehn nicht, sondern hören: da kündet sich das Unheil an. Es ist das Letzte und Äußerste, das sich ankündet, nachher kann keins mehr unsere Welt befallen, sie wird ausgelitten haben.

Die Drohung aber kommt immer aus derselben Richtung. Die entsetzliche Spannung, die unerträgliche Gefährdung unserer

Tage, jedes armen Lebenstages, und bei der ersten Anwandlung von Vertrauen ein ahnungsvoller Blick zum Himmel, sind das schon die Bombenflugzeuge? Immer aus derselben Richtung. Das wird nicht mehr lange gut gehen. Deutschland verlasse sich darauf. Es wird die Welt nicht auf die Dauer reizen, mit Furcht und Schrecken quälen und sie beleidigen in dem einzigen, das ihr wahrhaft heilig ist: das ist ihr Friede. Jeder weiß es, der Friede ist heute mehr wert als in Jahrhunderten. Er ist erfüllt mit Aufgaben wie nur zu den seltensten Zeiten; die Wirtschaft der Völker, ihr internationales Recht, das Bewußtsein der bisher souveränen Staaten von ihren Pflichten gegen die Gesamtheit – alles ruft laut nach Erneuerung. Der Wille zur praktischen Hilfe, damit endlich nach mehr als genug technischen Fortschritten ein sittlicher erreicht wird, der Wille ist nahe daran, alle Schranken zu durchbrechen, und sein Gebot ist Friede. Der Krieg war noch niemals wirklich verboten gewesen: heute ist er es. Er ist es mit einer Leidenschaft und einer Unbedingtheit, von der nur die Unkundigsten sich noch keine Vorstellung machen, aber sie wird ihnen beigebracht werden. Wie schnell sind dem Diktator Italiens die Augen auf- und übergegangen!

Deutschland, als ob nichts wäre, lauert weiter hinter den Ereignissen und wartet auf seine Stunde. Hetzt und wartet, oder tut gleichgültig und wartet – wird so und so nicht vergebens warten. Seine Stunde kommt, nur anders, als es denkt. Kein Deutscher, keiner ahnt die Erbitterung, die jetzt anwächst gegen den nächsten Friedensbrecher – um so mehr, da es der bekannte ist, vom vorigen Mal. Während der späteren Jahre der Republik hatte schon niemand mehr von der deutschen Alleinschuld am vorigen Kriege gesprochen. Nur deutsche Abenteurer, die nachher an ihr Ziel gelangt sind, bellten von der »Kriegsschuldlüge«. Seit Hitler nennt die ganze Welt den Schuldigen wieder höchst geläufig beim Namen. Zweifel an der vorigen Kriegsschuld können nicht mehr aufkommen, da die nächste schon jetzt felsenfest steht. Das bedeutet, wie die Menschheit nachgerade gesonnen und gewillt ist, für den künftigen Besiegten die Vernichtung. Deutschland, das gar nichts weiß, wird auch die lebenswichtigste Tatsache nicht erfahren, solange noch Zeit wäre. Es wiegt sich in Hoffnungen, daß die »schwachen Demokratien«, wenn Deutschland wieder »unbesiegt« den Kampf aufgäbe, es verschonen würden wie das vorige Mal. Gefehlt. Sie werden es vernichten. Inzwischen hat sich einiges geändert. Der Krieg ist das schlechthin Verbotene und Deutschland der allgemeine Feind, noch ehe es losschlägt. Entweder besteht eine deutsche Macht wie diese heutige, oder Europa speit sie aus und lebt, anstatt an Deutschland zu ersticken.

Europa will leben, und deutsche Kolonien wird es hier nicht geben. Aber nach seinem letzten verlorenen Krieg wird aus Deutschland eine Kolonie, mit verändertem Namen übrigens. Nichts wird zurückbleiben. Die künftigen Sieger wissen heute selbst noch nicht, wessen sie fähig sein werden. Erst im Krieg und durch ihn sollen sie das Letzte lernen. Bis dahin gehen sie durch die gute Schule der deutschen Propaganda: die macht sie reif, einst Deutschland zu vernichten.

Rüstung

1936

Am 16. März ist ein Herr Hitler von Berchtesgaden nach Berlin geflogen, eigens um Deutschland die verlorene Ehre zurückzugeben. Es scheint, daß er das kann. Der Vorgang sah dann so aus, daß eine geschlossene Gesellschaft, die Reichsminister, sich ihr eigenes Machwerk über die allgemeine Dienstpflicht vorlasen, worauf alle Heil brüllten, ganz für sich allein, wie in einer Gummizelle. Für Verbreitung war trotzdem gesorgt.

In den deutschen Rundfunk wurde gebrüllt: Deutschland erwache! Rache, Rache, Rache! Hierauf brach im ganzen Dritten Reich die bekannte Begeisterung los, Marke Drittes Reich. Es hat aber, solange es besteht, in heller Begeisterung seine Tage verbracht. Dienen mußte jeder auch schon vor dem 16. März. Das gesamte Einkommen der Nation wurde schon vorher für Rüstungen ausgegeben. Sie lebte schon vorher nur für den nächsten Krieg und wird weiter für ihn leben. Wer spricht von Ehre? Dieselben Herren, die in einem fort Frieden schwören – angesichts aller dieser weltbekannten Tatsachen. Dieselben Herren, die damals die Republik bemogelt haben mit ihrer »Legalität«, wie sie nachher die Mächte betrogen haben mit ihren diebischen Rüstungen und sie weiter betrügen möchten mit ihrer »Friedensliebe«. Haben die Sozialisten gespielt, um die Armen zu beganeffen, und inzwischen ließen sie sich bezahlen von den Konzernen und den Kanonenhändlern. Haben die Freunde, die sie in ihrem Volksverrat vielleicht noch stören konnten, unter ihrer persönlichen Aufsicht umbringen lassen. Haben jeden belogen und betrogen, mit dem sie zu tun bekamen: manchen, der zu wohl erzogen war, um die passende Antwort zu finden, und einen, der sie am Brenner allerdings laut genug aussprach. Marschbereite Divisionen sind die Sprache, die das Dritte

Reich versteht. Dann zieht es den Schwanz ein und will es nicht gewesen sein. Das ist seine Ehre. Diese Art Ehre kann es der Nation zurückgeben, sonst keine. Dort ist eine Nation von einer Verbrecherbande getreten worden zu glauben: List, solange man nicht die Gewalt hat, ist Ehre. Mit Gewalt vollendete Tatsachen schaffen, ist Ehre, sowie es ehrenvoll ist, die Verachtung der Mitwelt nicht zur Kenntnis zu nehmen, solange sie nicht marschiert. Ehre ist, keinem Widerstand zu begegnen, obwohl er leicht geleistet werden könnte, und dann müßte man den Schwanz einziehen, wie am Brenner. Aber dann würde eine Ehre, Marke Drittes Reich, aus anderen Ersatzstoffen hergestellt werden. Sie haben Ehre, und wenn sie ihre Ehre von der Müllabfuhr beziehen sollten.

Diese Deutschen, Neudeutschen, Jungdeutschen, Abfall- und Auswurfdeutschen, sie schwören ihrem Führer, daß sie gute Soldaten sein wollen: was hoffentlich genauso wahr ist wie seine eigenen Schwüre. Sie sind auch gute Arbeitsdienstler gewesen, sie waren gute Arbeitsfrontler, gute Abonnenten von Eher & Co., gute Heilbrüller, Blubobrüder, Gesinnungslumpen und Folterknechte – Nationalsozialisten und Knechte. Sie telegrafieren ihrem Führer: Wir wollen ebenso gute Soldaten als Nationalsozialisten sein. Dann würden sie also knechtische und feige Soldaten sein. Als Nationalsozialisten haben sie zu der Entwürdigung und Entrechtung der Nation geschwiegen oder sich sogar dafür begeistert. Die Abschaffung der persönlichen Freiheit, der Bürger- und Menschenrechte, ihnen war sie recht. Die Ausrottung des Wissens und der Erkenntnis, ihnen gefiel sie. Die Vertreibung der gefestigten Charaktere, ihnen paßte sie. Sie waren einverstanden, betrügerische Geschäfte mit dem Ausland zu machen und ihm seine Waren herauszuschwindeln ohne Entgelt, vermittels der Reichsbank. Sie lachten sich ins Fäustchen, wenn fremdes, geliehenes Geld in Deutschland zurückbehalten wurde, als wäre das kein Diebstahl. Sie verstanden die Welt, als andere Länder die Waffen, mit denen sie vernichtet werden sollen, selbst lieferten gegen bar. Waffen sind das einzige auf Erden, das man wirklich bezahlen muß: darin versteht sich der Nationalsozialist mit der Welt.

Das Dritte Reich hat keinen einzigen ehrlichen Verbündeten, aber es hat Mitgauner. Es kann sich auf kein Land verlassen, aber auf die Gewinnsucht fremder Rüstungsindustrien. Das Dritte Reich hat seine Chance darin, daß der Weltkapitalismus hinausgewachsen ist über die Nationen und ihr Wohl und Weh, sein Zweck ist nur noch er selbst. Er hat seine Finger im Dritten Reich und dieses seine Krallen bei ihm. Das Dritte Reich baut darauf, daß in den anderen Ländern die politischen Beauftragten dem eigenen Rüstungskapitalismus nicht widerstehen können und jedem Versuch dazu ausweichen, unter dem Vorwand, daß sie kriegsunlustige Völker regieren. Das vorgeschrittenste der kapitalistischen Reiche ist in Wahrheit das Dritte: hier ist ein geldloser Nationalismus unausweichlich in die Abhängigkeit Fremder geraten. Hier regiert der Weltkriegskapitalismus offen und persönlich. Hier hat er sich, als politische Beauftragte, blutige Komödianten angestellt.

In dieser Tatsache liegt das Schicksal beschlossen. Die blutigen Komödianten versehen ihr Amt; von einem begeisterten Gebrüll zum anderen, alles nur erst Probe, werden sie plötzlich in die Tragödie geraten, und es wird Abend sein – nicht allein für sie, für die uns bekannte Welt. Das war nicht unbedingt notwendig vor dem Antritt des Dritten Reichs. Seit es da ist, pflanzen sich Ungesetzlichkeit und Unrecht wie eine ewige Krankheit fort. Ein Volk mußte gefunden werden, das, angesiedelt auf einem zusammenhängenden Gebiet, sich zu der echten Würde einer Nation dennoch nie erhoben hat. Es ist mit Wonne unfrei, kritiklos und berauscht. Es neigt zum sinnlosen Lärm und Auftrieb. Mit Rausch betäubt es das Gefühl, schlecht weggekommen zu sein. Diese Deutschen sind die Rechten, um die Vernunft zu verachten! Ein Tag Vernunft, und sie wären aus Scham in den Boden versunken.

Ihre regierenden Komödianten machen ihnen bis jetzt noch nationales Erwachen vor. Die Schmiere spielt Größe und Ehre der Nation. Die Künstler brüllen, bis sie der Schlag trifft, vor einem Weltparterre, das durch seine gesitteten Begriffe verhindert wird, sie von der Bühne zu schießen. Einzig die Deutschen nehmen sie für voll. Die Deutschen merken nicht, daß der gemeinsame Wille eines kapitalistischen Systems, das in sein Verderben rennt, sie ausersehen hat und vorschickt; ihnen diesen Führer angehängt hat; sie im voraus bestimmt hat, Anstifter und Ausführer der Katastrophe zu sein oder dafür herzuhalten im allgemeinen Bewußtsein. Genaugenommen sind sie nichts als rauschsüchtige Dummköpfe, regiert von schlechten Komödianten. Siegesfeiern ohne Sieg, große Männer, die nicht einmal Männer sind, Gebrüll ohne Inhalt, Volksverbundenheit in der Lüge, im Selbstbetrug, in der alleräußersten Instinktlosigkeit: das ist der deutsche Fall.

Aussicht besteht, daß er diesmal bis ans Ende führt. Nicht der Führer führt, sondern der Fall Deutschland. Was den Führer angeht, kann er selbst nachlesen in der Bibel, die ihm mit Recht verhaßt ist: »Wie der Hund zu seinem Gebrochenen zurückkehrt, also der Narr zu seiner Torheit.« Nach Vollendung seiner letzten Torheit, inmitten der Katastrophe sollte er es nachlesen. Solange ist es für ihn ohne Sinn, und wahrscheinlich sogar dann.

Die Deutschen und ihre Juden

1936

Die deutschen Juden werden planmäßig vernichtet, daran ist nicht mehr zu zweifeln. Vorsichtige ältere Juden sagten vor zwei Jahren: »Wir leben doch in einem Rechtsstaat« – was sie für den unabänderlichen Schutz halten wollten gegen alle noch drohenden Ausschreitungen des Gefühls und der Propaganda. Damals waren die ersten Pogrome schon gewesen. Da dann Ruhe eintrat, konnte man sich einreden, das Gesetz wäre dennoch der stärkere Teil, nicht aber die Volksseele und ihre Lenker. Jetzt glaubt das niemand mehr. Es ist erwiesen, daß das nationalsozialistische Interesse über dem Gesetz steht und daß es Gesetze macht. Recht ist inzwischen geworden, was »dem deutschen Volke nützt«, auch das Bösartige, auch das Infamste.

Es ist dahin gekommen, daß die Juden auf die Gewalttaten der ersten Zeit wahrscheinlich zurückblicken wie auf ein Idyll. Sie wurden manchmal niedergeschlagen, manchmal verhöhnt und mit Plakaten auf der Brust durch die Straßen gejagt. Ihre Läden wurden tageweise boykottiert und einmalig geplündert: das alles ging noch. Sie konnten es auf Rechnung der bewegten Umstände, überhaupt der »Bewegung« setzen. Selbst die »Bewegung« braucht auf die Dauer die Norm, anstatt der Willkür. Gewiß – und grade die Willkür ist seitdem normalisiert worden. Pogrom und Boykott sind in die relmäßigen sozialen Beziehungen eingeführt worden, sie haben jetzt ihre ordentliche Bestimmung sowohl im menschlichen Verkehr wie im Geschäftsleben. Der Jude, der 1935 mit einem sozusagen arischen Kaufmann über den Verkauf seines Geschäftes verhandeln muß, würde weit lieber den sozusagen arischen Janhagel von 1933 bei sich sehen. Der zertrümmerte die Einrichtung und stahl die Kasse; das läßt sich verschmerzen. Ein einsichtsvoller Jude, wie sie oft sind, erkennt darin die überschwengliche Laune eines Völkchens, das ihm wohlgefällig, ja, ein Gegenstand seiner wehmütigen Bewunderung wäre, wollte es nur nicht grade ihn als Opfer ausersehen.

Aber der arische Kaufmann 1935 handelt bewußt, anstatt im Rausch, alkoholischer oder nationaler Rausch. Keine Rede kann davon sein bei dem arischen Kaufmann, der dem Juden sein Geschäft abnehmen will für ein Zwanzigstel des Wertes. Er drückt sich zwar aus, wie ein normaler Unterhändler jederzeit gesprochen hätte; in der ganzen Welt sind solche Abschlüsse mit ähnlichen Sätzen eingeleitet worden. Anzug und Manieren des arischen Kaufmannes entsprechen gleichfalls der Übung und Übereinkunft – wodurch die Täuschung erhöht wird. Denn vom ersten Wort an und schon vorher hat der Jude durchaus gewußt, daß hier nicht Gleichgestellte eine gesittete Auseinandersetzung haben: sondern es wird vergewaltigt, es wird enteignet, und die Zustimmung des Verkäufers wird erpreßt mit außergeschäftlichen Machtmitteln. Es sind nicht die Machtmittel des einzelnen arischen Kaufmannes – man kann höchstens fragen: woher nimmt er den Mut, vor zwei Jahren hätte er dem nicht geglaubt, der ihm die Szene und seine Rolle darin vorhergesagt hätte. Wer aber durch ihn eigentlich handelt, ist sein Verein, eine Organisation zum zwangsweisen Aufkauf der jüdischen Geschäfte – dahinter steht drohend die Partei oder der Staat, man kann beides sagen, es ist dasselbe.

Während kurzer Wochen hatten die Juden vielleicht gehofft, daß die »Judengesetzgebung« das gegen sie erlaubte Unrecht festlegen und begrenzen würde. Es gibt eine Judengesetzgebung: so sieht jetzt der Rechtsstaat aus. Nein, auch die Judengesetze sagen nichts über die letzten wirklichen Erlebnisse der Juden, zum Beispiel über den Zwangsaufkauf ihrer Geschäfte. Ein Gesetz darüber wird vielleicht später erlassen werden, wenn das Verfahren alt genug ist und niemand mehr aufregt. Die Judengesetzgebung bleibt absichtlich hinter den

Ereignissen zurück. Zuerst kommt jedesmal ein neuer Rechtsbruch, er wird geduldet, dringt in die Sitten und Gebräuche ein: dann folgt, in einem günstigen Augenblick, seine Rechtfertigung durch ein Gesetz. Die Welt muß gerade anderweitig stark beansprucht sein und darf nicht genau hinsehen. Zu der Zeit, als in Nürnberg die ersten Judengesetze verkündet wurden, erregte Mussolini mehr Ärgernis bei der Welt als sie.

Außerdem betrafen sie nur die bürgerlichen Rechte der Juden, die allerdings auf nichts herabgesetzt wurden; praktisch waren sie aber schon vorher bei nichts angelangt. Die Stellung der Juden in der Wirtschaft dagegen ist gesetzlich auch jetzt noch gar nicht berührt worden, bis vor kurzem wurde sie sogar amtlich für unberührt erklärt. Inzwischen werden sie, unter Mitwirkung der Partei und des Staates, von sogenannten Ariern einzeln enteignet. Auch »Rassenschande« war lange nur der Vorwand dirigierter Ausschreitungen, bevor der Staat sie ordentlich in Paragraphen faßte. Der nationalsozialistische Staat hatte den Begriff der Rassenschande selbst aufgebracht und seinem Anhang eine neue Betätigung verschafft, Lynchjustiz gegen Rassenschande. Dann greift er ein und übernimmt die gesetzliche Bestrafung. Neuerdings wird die Bevölkerung angeregt, an Juden nichts Eßbares abzugeben. Vorbehalten bleibt, etwa infolge der Knappheit von Lebensmitteln, die vollständige, gnadenlose Aushungerung der Juden zum öffentlichen Recht zu erheben.

Das wäre der letzte Schritt. Sie sind keine Bürger mehr, haben keinen Anspruch auf die freie Geschlechtswahl, haben in Wirklichkeit auch die Freizügigkeit verloren, da jeder Ort einzeln sie mit der Aufschrift »unerwünscht« empfängt. Die Sicherheit des Eigentums ist nur für sie allein beseitigt worden, wenigstens offenkundig geschieht es vorerst nur ihnen. Die körperliche Sicherheit wird ihnen nicht mehr verbürgt: wer sie angreift, handelt in Notwehr, ihre Gefährlichkeit gilt für bewiesen durch ihr bloßes Dasein. Ihr Geld liegt fest, größere Abhebungen von einem jüdischen Guthaben werden verfolgt. Sie können das Land nur als Bettler verlassen, und können auch das nicht, denn alle Länder haben Bettler genug. Auf den ersten Blick erscheint das Schicksal dieser Menschen außerhalb jedes Vergleiches, ihr Lebensgefühl nahezu unvorstellbar. Das ist es aber mitnichten. Ihre Erlebnisse liegen durchaus auf dem deutschen Wege, und was jüdisch ist, das heißt in einem verkürzten, zusammengerafften Sinne: deutsch.

Die deutschen Juden sind, abgerechnet, daß sie auch Juden sind, so deutsch wie alle anderen – und sind es mehr als manche Deutsche, die nicht in der tiefen Mitte der Nation sitzen wie sie. Das sind lauter Kleinbürger und beflissene Schüler des deutschen Wesens, wenn nicht einfach seine unwissenden Erzeugnisse. Sie kennen kein anderes Wesen als das deutsche, keinem andern Schlag als dem deutschen haben sie sich auf Erden verbunden gefühlt. Die Kategorien des deutschen Denkens, nicht weniger als alle Gemeinplätze und Besonderheiten der deutschen Lebensgemeinschaft, die Juden sind darin völlig befangen. Eigentümlichkeiten zu pflegen, hatten sie schon längst weder Sinn noch Beruf. Eigentümlich, im Verhältnis zu Europa, sind die Deutschen selbst, und ihre Juden waren es mit ihnen. Größere Begabtheit, gesetzt, die Juden hätten sie oft, stempelt noch niemanden zur nationalen Ausnahme. Intellektualismus überhaupt ist eine soziale Tatsache, er ist nur das. Er kann sowenig »artwidrig« als »artgemäß« sein. Bedauerlich genug, daß Wahrheiten wie diese erst noch vorgetragen werden müssen.

Wären die deutschen Juden weniger deutsch, dann hätten sie es gerade im Dritten Reich beweisen können – durch Widerstand gegen seine Angriffe. Das sollte nicht gehen? Sie wären zu wenige? Aber die rumänischen Juden zum Beispiel sind nicht zahlreicher; sie sind nur aufgewachsen in Gewohnheiten, die nichts Deutsches haben und weder von Gesetzfrömmigkeit noch vom Vertrauen auf den Staat bestimmt werden. Ein rumänischer Jude hat zu einem deutschen gesagt: »Ihr macht uns Schande, wieviel ihr euch bieten laßt.

Bei uns zulande kommen Pogrome vor. Aber wenn die Leute eindringen in mein Haus, auf meinen Hof, ruf ich: Halt! Oder alles fliegt in die Luft, mit mir und mit euch.« – »Bluff«, war bei dieser Erzählung der erste Gedanke des deutschen Juden. »Es wäre nichts aufgeflogen.« Der Rumäne aber: »Doch. Alles.« Nun ist dies eine exotische Art, das Leben zu nehmen; es wäre ungerecht, sie von jedem zu verlangen; in deutschen Büros, an deutschen Stammtischen ist sie bis gestern nicht gediehen. Die deutschen Juden hatten keine Zeit gehabt, sie sich anzueignen, als es nützlich gewesen wäre. Die Nationalsozialisten haben sie in einem gesitteten Zustand der Wehrlosigkeit vorgefunden, wie übrigens alle anderen Deutschen. Darum eben besteht das Dritte Reich.

Das Schicksal der deutschen Juden ist furchtbar; verfolgt man indessen seine Fortsetzung, dann hat man das der Deutschen, ihrer untrennbaren Gefährten. Die Ausführungsbestimmungen der »Judengesetze« sind genauso kleinlich und peinlich, wie alles, was durch die Hände des deutschen Spießers geht, besonders auf dem Gebiet des Grausigen. Die Einzelheiten der Hexen-Prozeßordnung überließen damals auch nichts dem Zufall; festgelegt war, wie die Fingernägel der Frauen beschaffen sein müßten, damit sie als Hexen verbrannt würden. Das ist deutsch, nur deutsch, die Genauigkeit im Abscheulichen. Derart sind jetzt die Blutmischungen sortiert, drei viertel jüdisches, halbjüdisches, ein viertel jüdisches Blut, und jede Sorte wird besonderen Befehlen oder Verboten unterworfen. Vierteljuden dürfen nur arisch heiraten – als ob der Rassenzüchter vorhersehen könnte, was dabei herauskommt. Nachdem aber alles pedantisch eingereiht ist, erscheint ein einzelner Herr und behält sich vor, »Dispense« zu erteilen. Der einzelne Herr kann machen, daß ein Jude kein Jude mehr ist. Sein Belieben stößt die Natur um, es siegt über die »Rasse«, um derentwillen das Gesetz vorgeblich beschlossen ist. Das ist deutsch, nur deutsch, der Trick und die Ungläubigkeit angesichts beschworener Grundsätze.

So wird mit allen Deutschen umgesprungen, keineswegs nur mit Juden. Die Menschenmenge, die das Objekt der Judengesetzgebung geworden ist, besteht nicht entfernt aus Juden: ein »Arier« wird wegen Verkehrs mit Jüdinnen eingesperrt. Schon im »Rassischen« sind die Grenzen überschritten. Wie erst, was die bürgerliche Entrechtung betrifft, wie erst in Hinsicht der willkürlichen Enteignungen. Die große Mehrheit der Deutschen unterliegt Gesetzen, die den »Judengesetzen« kaum nachstehen. Aber sie stehen ihnen um etwas nach. Man könnte daher meinen, daß die »Judengesetze« nur gemacht worden sind als Entschädigung der Deutschen für ihre eigene Knechtschaft. Zwölf Millionen Vollbürger spielen in Deutschland eine Herrenkaste, ihnen unterworfen sind vierundfünfzig Millionen, einschließlich der Juden. Über das ersparte Vermögen der vierundfünfzig Millionen wird verfügt von denen, die sich Schlösser bauen und Leibwachen halten, aber ihre Lehr- und Wanderjahre vergingen einst in Anstalten für Minderwertige und Asylen für Entgleiste. Die Deutschen, denen ihre Ernährung täglich mehr erschwert wird, müssen sich sagen lassen, daß Kanonen wichtiger sind als Butter. »Weltherrschaft«, auf so etwas vertröstet man eine heruntergekommene Gesellschaft von Deutschen, die noch nicht einmal sich selbst haben beherrschen können, und grade darum sind sie in solche Hände gefallen.

Wahrhaftig, die Deutschen nehmen den Weg ihrer Juden, erkennen sich übrigens in ihnen genau. Selbst unterworfen, selbst rechtlos, der äußersten Armut nahe und vernichtenden Katastrophen entgegengetrieben – geht eine größere Zahl von ihnen in der sittlichen Entartung weit genug, um das alles zu rächen an den noch Gequälteren. Grade dies war auch die Absicht ihrer Erzieher. Die Juden, sie müssen Ungeheures erleiden, weil die übrigen Deutschen vieles erleiden. Alle zusammen sind dahin gelangt – nicht unvermittelt, nicht von gestern auf heute, sondern ausführlich und planmäßig bearbeitet durch eine Schicht, ach, zuerst war es nicht mehr als

Der Weg der deutschen Arbeiter

1936

Über Gesetzlichkeit –

Frühzeitig fiel mir auf, welche bestimmte Abneigung die deutschen Sozialdemokraten gegen die Revolution hatten. Deutschland wäre nach der militärischen Niederlage wahrscheinlich eine Monarchie oder eine Kette von Monarchien geblieben, wenn es nur an ihnen gelegen hätte. Die Verwaltung würden sie gern übernommen haben. Eigentlich stand es 1918 derart, daß die Gewerkschaftsführer schon Deutschland verwalteten. Die kaiserlichen Behörden, unpraktisch und veraltet wie sie waren, hätten niemals vier Kriegsjahre hindurch die Bevölkerung versorgt und bei der Sache erhalten. Unaufhörlich zogen die alten Behörden die Gewerkschaften hinzu, und 1918 überließen sie ihnen den Platz allein. Die Sozialdemokraten waren hoch erstaunt, als sie sich im Besitz der Macht sahen.

Was fängt man unter solchen Umständen mit der Macht an? Nur nichts Umwälzendes. Die Industrie war am Ende des Krieges zu weit unten, nach Ansicht der Sozialdemokraten konnte sie nicht sozialisiert werden. Vielmehr sahen sie es als ihre Pflicht an, die Radikalen niederzuwerfen, gerade weil diese »Spartakisten« und künftigen Kommunisten wirklich sozialisiert hätten. Daher das bekannte Zerwürfnis der beiden sozialistischen Gruppen. Es schien damals unheilbar und hat unaufhaltsam zum Sturz der Republik geführt. Indessen kein Machthunger der Sozialdemokraten spielt dabei mit: nur ihre kleinbürgerliche Ängstlichkeit und Ordnungsliebe. Bei mehr Sinn für die Macht wären sie selbstverständlich mit den Linksradikalen gegangen, denn was ihnen von rechts drohte war schlimmer. Durch ihre Partei-Koalitionen wurden sie im Politischen zu Handlangern der Nationalisten – immer bei sorgfältigster Verwaltung des Staates.

Woran sind diese ursprünglich gutwilligen Menschen gescheitert? An demselben Gebrechen, das fast alle Deutschen seit wenigstens fünfzig Jahren befallen hatte. Ihnen fehlte der Sinn für die Freiheit. Ohne diesen Sinn bleibt man untergeordnet. Mit ihm dagegen wird man befähigt, neue Ordnungen selbst zu errichten. Der Sinn für Freiheit bedingt den Machtwillen. Ein freier Sinn urteilt, beschließt und läßt lebensfremde, lebensfeindliche Mächte nicht länger befehlen. Die Ideologie der Freiheit und persönlichen Verantwortung hätte niemandem erlaubt, den Untergang des Kaiserreiches in der furchtbarsten Katastrophe zuerst tatenlos abzuwarten und dann die Macht, die man notgedrungen vom Boden aufhob, ungenutzt zu lassen. Es ist aber nicht der Augenblick, einzelnen noch Vorwürfe zu machen.

Das geistige Grundgesetz des Proletariats – und aller Republikaner – blieb die Legalität: aber für wen gilt die? Nur für die Schwachen unbedingt. Wer stark ist durch eine wirtschaftliche Überlegenheit, die niemand anrührt und beseitigt, wird seine Macht bald auf das Politische erstrecken.

Dies ist in der ungeahntesten Weise geschehen, und das Proletariat, das an der Gesetzlichkeit hing, ist gerade darum entrechtet worden bis auf den letzten Rest. Angenommen, im Jahre 1913 oder noch im Jahre 1925 hätte man den deutschen Arbeitern Wahrheiten sagen können wie diese: Eure Unterdrückung, Kämpfe und Leiden sind nicht historisch, wie ihr glaubt; sie liegen nicht hinter euch, sie stehen bevor; und wenn unter Bismarck in zehn Jahren tausend Jahre Gefängnis auf eure Vorgänger entfielen, ihr selbst und eure Kinder sollt Unvergleichliches erfahren. Drei Jahre einer kapitalistischen Schreckensherrschaft werden zweihundertfünfundzwanzigtausend Deutsche, meistens euresgleichen, in Gefängnisse werfen, die Höllen sind, niemals war Ähnliches gesehen worden; und die verhängten Urteile werden sechshunderttausend Jahre betragen. Gesetzt es wäre prophezeit worden, dann hätte doch das Organ, es aufzunehmen, ge fehlt. Um die Gefahr der Unterdrückung zu kennen und für wirklich zu halten, muß man für die Freiheit gekämpft haben.

In den großen Demokratien östlich und westlich von Deutschland ist gekämpft und um des Kampfes willen ist viel gelesen worden. Sowohl das alte Rußland als auch Frankreich haben eine soziale Romanliteratur ersten Ranges gehabt. In Deutschland ist sie auf Bruchstücke beschränkt. Jeden von uns befähigt die Literatur, zu unterscheiden, was menschenwürdig ist, und aus der kritischen Darstellung einer Gesellschaft erhebt sich, allen begreiflich, die sittliche Pflicht, sie zu ändern. Die sozialistische und demokratische Ordnung verlangt die geistige Lebendigkeit aller. Nur die Erziehung jedes einzelnen zum selbstbewußten Mitglied einer freien Gesellschaft erlaubt ihr, frei zu bleiben. Auch die Entmachtung des Kapitals erfolgt nicht mechanisch oder zwangsläufig, dann wäre sie unverdient, und unverdiente Gaben halten nicht vor. Sondern der soziale Aufstieg insgesamt ist das Werk der herrschenden Vernunft und des erlebten Freiheitssinnes.

Die Zerstörung der sozialistischen Einheitsfront gleich anfangs erklärt vollauf eine politische Tatenlosigkeit ohnegleichen, den Verzicht der Republik, sich durchzusetzen, die Vernachlässigung der Volksbildung in ihrem eigenen Sinn. Die Schulen sind von der Republik vermehrt, die Volksschule ist gehoben worden; aber unpolitisch, niemals nach ihrem eigenen Sinn und Anspruch. Die Preußische Akademie der Künste bekam von der Republik eine Abteilung für Literatur, und diese versuchte sich der Republik dankbar zu zeigen, sie bearbeitete ein republikanisches Schullesebuch, das erste. Es war spät geworden, 1931, und noch immer lernten die Kinder den Hohenzollernschen Sagenkreis sowie den Ruhm des sogenannten Heldentums anstatt des Lobes der Arbeit.

Der Grund war Schwäche, war ein schon vollzogener Verzicht. Innerlich war er vollendet, längst bevor er nach außen hervortrat, und Hitler hätte sogar früher antreten dürfen;

man war auf ihn gefaßt und nicht im Ernst gewillt, die Republik zu verteidigen. Was ist die Republik? Die Sozialdemokraten dachten: Tarife und Wohlfahrtspflege. Es ist aber die Republik ein Geist. Sie ist der Geist der Freiheit und des kollektiven Machtwillens: sonst ist sie tot und hat nicht gelebt.

Eine nie gesehene Entmutigung, sie ist das Bild der Republik in ihren letzten Zeiten. Keine Niedergeschlagenheit aus greifbaren Anlässen. Die Wirtschaft versagte auch anderswo. Wer Mut gehabt hätte, wendete das gegebene Mittel an, trat der nationalsozialistischen Bewegung entgegen und sozialisierte die größten Betriebe. Die nationalistische Bewegung schwankte und war zweifellos besiegbar, sobald man wollte. Man konnte nicht wollen: eine Demokratie hat soviel Willen zur Macht, als sie Sinn für Freiheit hat; hier war keiner. Der Ausfall an Idee und Willen aber entwertet sogar die praktischen Leistungen eines Staates.

Es kam vor, daß jemand der Gleichgültigkeit nicht verfallen wollte. Ein Schriftsteller nahm den Kampf noch einmal auf, kurz vor der Niederlage der Republik. Er ging auf die Ämter, mit dringenden, erfüllbaren Vorschlägen – eine republikanische Propaganda gegen den entsetzlichen Feind aller, der auf dem Weg war. Ungläubigkeit. Er bot seinen Einfluß bei den Zeitungen auf. Ungläubigkeit. Mit einem der kommunistischen Führer, den sein Scharfblick und seine Tatkraft nie verlassen haben, unternahm er zur äußersten Stunde die Einheitsfront der Sozialisten. Die Antwort war Ungläubigkeit.

– in die Knechtschaft

Wie man weiß, sind die Nationalsozialisten damit durchgekommen, daß sie »Gehorsam« anstatt »Freiheit« ausgeschrien. Es ist ihnen geglückt, mit einem Schwindel durchzukommen. War eine moderne Nation in der Freiheit ungeübt und mußte an ihr scheitern: das macht sie noch längst nicht geeignet, die halsbrecherische Rückkehr zu vollziehen zu einem altertümlichen naiven Gehorsam. Die Nationalsozialisten rechneten, als ordinäre Schlauköpfe, mit der schlechten Seite der Umstände. Man konnte sagen: Diesen Deutschen fehlen bis jetzt Beseelung, Wissen, geistige Zucht, sie sollen ihre Freiheit erwerben, um sie zu besitzen. Indessen ließ sich auch behaupten: Freiheit ist nicht deutsch. Sondern der entseelte Betrieb, dem ihr ohnedies ergeben seid, muß verstärkt werden, damit ihr deutsch seid. Infolge der versäumten geistigen Zucht gilt bei euch der einzelne nicht viel: er soll gar nichts mehr gelten. Nichts wissen, nichts lernen, aber die bloße motorische Massenhaftigkeit bis zum Äußersten getrieben – nun, das wird fortan mit dem Namen Gehorsam belegt und soll euer Glaube sein.

Ordinäre Schlauköpfe erfassen ihre Gelegenheit, wo eine Wahrheit versagt; schon bringen sie ihre Lügen unter die Leute. Hitler hat nichts hinzugefügt als seine besondere Wucht, der persönliche Beitrag eines anstaltsreifen Individuums. Sonst aber: gar kein Gedanke bedeutet Führergedanke, gar kein Recht – deutsches Recht. Die Willkür wird Ordnung, die volle Auflösung wird Volksgemeinschaft benannt, was kein Kunststück heißt. Der ordinäre Schlaukopf muß nun die Zeichen des Verfalls erfaßt haben. Einem Volk gescheiterter Sozialisten kann man ungestraft in die Ohren brüllen, daß Sozialismus dasselbe wie massenhaftes Robotten ist. Man darf die Dreistigkeit haben, dies sogar ins Werk zu setzen und aus dem kapitalistischen System nur gerade die Rechte der Arbeiter zu streichen, indessen die Übermacht des Kapitals den gesamten armseligen Staat in sich hineinschlingt. Der Staat ist erniedrigt zum ausführenden Organ der Reichsten, das Volk zu ihrem Objekt; und ein sogenannter Führer versieht kein anderes Recht, als von allen mit Schrecken denselben Gehorsam zu erzwingen, in dem, genau besehen, er selbst dahinlebt.

Gehorsam, und einer denkt für alle, und der Wille des Führers entscheidet: so viele Redensarten, so viele Lügen. Nach dem Hingang der überlieferten Autorität von einst gibt es keinen Gehorsam im Stande der Unschuld. Die Massen beugen sich unter den Schrecken. Zwischen ihnen und den Werkzeugen des Schreckens aber sind die Grenzen beweglich, aus Henkern werden unversehens Opfer. Wer irgend teilnimmt an der Macht, hat, gleich allen, die er knechtet, seine Menschenwürde abgedankt, gesetzt, er wäre ihrer jemals bewußt gewesen. In einem Lande, das diesen Rückfall in den Gehorsam durchmacht, muß die Menschenwürde seit langem fragwürdig sein. Der Bedarf an Minderwertigen, so ungeheuer er dort ist im jetzigen Zustand, er wird gedeckt. Der Bestand an Minderwertigen erlaubt, ein ganzes Land in stumpfsinnigen Gehorsam zu schlagen, nicht nur mit Schrecken, auch durch die Entfesselung der niedrigen Triebe.

Da der Gehorsam falsch ist und befohlen wird von Menschentypen, denen jedes innere Recht fehlt, wie steht es beim Dritten Reich mit der Gläubigkeit? Es glaubt an sich nicht. Es denkt keinen Augenblick ernstlich an seine Bestimmung, die Welt zu beherrschen: es erpreßt die Welt nur. Es zweifelt durchaus an seinem Beruf, das eigene Volk für lange Zeit niederzuhalten: daher die übertriebene Furchtbarkeit des Regimes; daher seine Korruption, man hat nur die gemessene Zeit. Auf welche Verbrechen könnte es ihnen noch ankommen, da sie gerichtet sind. Doppelt leben, da es schnell gehen muß, und übrigens durch List die Frist zu verlängern suchen: daran erkennt man die Art. In einem fort ist jemand hineinzulegen. Man muß nicht die fremden Mächte, man muß die internationalen Gläubiger nicht aufzählen: betrogen ist jeder einzelne, jeder hat der Gesellschaft einmal etwas geglaubt. Die Welt versucht sogar, ihr immer wieder zu glauben – man weiß warum. Das große Mittel, sich alles übrige verzeihen zu lassen, Schändlichkeit in Verdienst zu verkehren und den Anspruch zu erwerben auf Duldung, auf Mitredendürfen – das große Mittel ist der Antibolschewismus. Wer im Bereich des sterbenden Wirtschaftssystems nur sagt:

ich rette euch, der muß nicht einmal den ersten Anlauf nehmen, es wirklich zu tun. Im Gegenteil bringt er durch seine eigene Verwahrlosung das System noch schneller herunter; macht nichts, er ist Antibolschewist. Der Liberalismus und ein, wenn auch beschränkter Humanitarismus waren es, die das kapitalistische System, als es noch möglich war, zur Not erträglich machten; es aufhellten, so daß Aufschwünge des Gewissens und der Menschenliebe dennoch vorkamen. Der vorgebliche Retter entfernt die ganze Moral, jeden Trost, den es für Ausgebeutete noch geben konnte, das Denken wie den Glauben, die schönen Bücher wie die guten Werke, verstärkt aber die gewohnte Ausbeutung bis zu einer Versklavung seines gesamten Volkes, dergleichen sah die Welt noch nie. Sie sieht es, nickt und bemerkt nur, daß der Retter wahrhaftig Antibolschewist ist. Beruft die kapitalistische Welt sich nicht auf ihre Gesittung, hält sie es nicht für ihr Recht, Beutezüge und Eroberungen an den weniger gesitteten Völkern zu verüben? Hier nun wird inmitten des gesittetsten Kontinentes einem Volk der Geist seiner Vorfahren ausgetrieben; es wird in allerkürzester Zeit auf den Hund gebracht: wissenschaftlich, literarisch, in der Form seines Denkens und allen Begriffen seines Zusammenlebens. Instinkte, die früher niemand eingestanden hätte und die den meisten unbekannt blieben, jetzt blähen sie sich und trumpfen auf. Aus den zahllosen Leichen, die dies Land hat und dies Regime hervorbringt, den verreckten Knechten, gefallenen Zwangsarbeitern, ermordeten Staatsfeinden, entwickelt sich Pestluft und weht über die Welt. Sie riecht nichts. Blind, taub und mit verstopfter Nase bleibt die kapitalistische Zeitgenossenschaft dabei, daß dies Antibolschewismus ist.

Wenn sie übrigens wüßte, daß es Auflösung letzten Grades und volle Anarchie ist, sie könnte doch nichts anders als zusehen und gewähren lassen. Die sozialistische Ordnung noch hinausschieben, weiter denkt die kapitalistische Zeitgenossenschaft nicht mehr. Die sozialistische Ordnung – vor abergläubischem Entsetzen ist man dabei angelangt, daß man jeden Aufschub, ein Jahr oder einen Tag, gerne erkaufen würde mit dem Tode ganzer Völker. Das deutsche ist besonders ausersehen, den Preis aufzubringen. Alle Nazisten der Welt lieben es dafür, wie ihren Fraß. Das deutsche Volk genießt zum erstenmal die Sympathien der Fremden, wenn auch nur derer, die das unbedingt Schlechte wollen. Ein Menschentyp, der für Deutschland durch Goethe und Beethoven niemals gewonnen werden konnte, wegen seines Hitler verehrt er es. Was wir Deutsche je geschaffen haben, läßt den internationalen Typ des Nazisten unberührt; aber unseren Ruhm bei einem Teil der Mitlebenden vertritt ein Abenteurer – kann nichts als lügen und töten. Mit dem haben sie es, und in sogenannten Feindländern werden Versammlungen eröffnet unter seinem Bilde, alles ruft Heil Hitler!

Die Mächte, oder was man so nennt, haben den Deutschen dieser Sorte ihre zahllosen Vertragsbrüche nachgesehen, und einige fingen schon selbst an, welche zu begehen. Wer im Verkehr mit Menschen und Völkern eine so gründliche Umbildung vornimmt, verdient offenbar, das große Beispiel zu werden. Er rüstet unerlaubt auf, auch das wird zugelassen – aus Besonnenheit oder Schwäche, wie es heißt. Nicht auch aus Hochachtung? Der deutsche Herrscher hat sein eigenes Volk entrechtet und unterworfen, jetzt geht er dazu über, das erste fremde Volk um seine Freiheit zu bringen. Er greift in Spanien gewaltsam ein. Aus seinem zerrütteten, bankerotten Lande kann er immer noch Geld schicken, damit dort unten die Verräter und Volksfeinde auch richtig ausführen, was er mit ihnen ausgeheckt hat. Er läßt seine Kriegsschiffe hinfahren, voll bepackt mit Flugzeugen und Bomben, alles zur Vernichtung einer Freiheit, die ihm zum Trotz noch lebt. Er findet Verständnis, er findet Hochachtung. Regierungen, deren lebendigstes Interesse verlangen würde, daß sie ihm entgegentreten, tun es nicht einmal hier – gewiß aus Besonnenheit. Der andere »rettet die Welt vor dem Bolschewismus«, das ist immer zu bedenken. Sogar eine Regierung, die den Betrug durchschaut, hat damit zu rechnen, daß in ihrem eigenen Lande der Retter über Anhang verfügt. So sieht das Verhängnis aus. Aus welchen Gründen immer, die Welt, ihr mächtiges kapitalistisches Gefüge, wünscht nicht, daß die Deutschen ihre Abenteurer wieder loswerden. Erste Erschwerung eines deutschen Freiheitskampfes, gesetzt, er würde unternommen. Die zweite Erschwerung sind die Erfolge der Abenteurer, denen fremde Mitschuldige ihre Erfolge verschaffen. Sie gehen weit, die fremden Mitschuldigen, sie gehen in das Verhängnis mit derselben nachtwandlerischen Sicherheit, deren der deutsche Abenteurer sich rühmt.

Die Erfolge des deutschen Abenteurers sind berechnet auf ihren Zweck im Lande selbst. Der Zweck ist die Ablenkung der Deutschen von ihrer Schande. Was Knechtschaft, was schlechte Instinkte und Blutgeruch, wenn dies alles nur das notwendige Vorspiel einer deutschen Weltherrschaft wäre. Die schlägt doch niemand aus? Ein gezüchtigtes Volk hat scheinbar Aussicht, zum ersten von allen zu werden, und der Schwindel mit seiner auserwählten Rasse, weltpolitisch sieht er bald nach Wahrheit aus. Ungeheure Erschwerung des deutschen Kampfes um die Befreiung von dem Abenteurer, die tiefe innere Erschwerung des Kampfes, die Lähmung der Kämpfer. Wollten die Kämpfer allem widerstehen, dem Zustand des Landes, Druck der Umwelt und den Erfolgen des Abenteurers, dann hat er gegen jede ihrer Regungen eine Macht und Gewalt aufgetürmt: die ist die furchtbarste und ist am ernstesten gemeint.

Durch Heldentum –

»Wie Du siehst, behalte ich meine Ruhe, was nicht gleichzusetzen ist mit Resignation ... Soviel ist sicher, daß ich bis zum letzten Atemzuge für meine Freiheit kämpfen werde. Ich habe nie den Tod gefürchtet, und auch heute bin ich nicht bange davor. Der eine stirbt im Bett, der andere auf dem

Feld im Kampf, und es gehört nicht viel Philosophie dazu, um würdig zu sterben.«

Der diesen Brief schrieb, sprach vor Gericht: »Meine Herren, wenn der Oberstaatsanwalt auch Ehrverlust beantragt hat, so erkläre ich hier: Ihre Ehre ist nicht meine Ehre, und meine Ehre ist nicht Ihre Ehre, denn uns trennen Weltanschauungen, uns trennen Klassen, uns trennt eine tiefe Kluft. Sollten Sie trotzdem das Unmögliche hier möglich machen und einen Kämpfer zum Richtblock bringen, so bin ich bereit, diesen schweren Gang zu gehen; denn ich will keine Gnade. Als Kämpfer habe ich gelebt, und als Kämpfer werde ich sterben mit den letzten Worten: Es lebe der Kommunismus!«

Edgar André, ein Hamburger Hafenarbeiter, ist in seinem letzten Kampf und angesichts des Todes so verehrungswürdig geworden, wie Deutsche seinesgleichen es jetzt werden. Es ist der Deutsche in neuer, herrlicher Gestalt. Das gibt es sonst nicht, es mußte schwer erworben werden: die Kraft der Gesinnung, mitsamt der Höhe und Reinheit des Ausdrucks. Hier hat man den Tonfall des Helden und Siegers über den Tod hinaus. Die Worte sind aufbewahrt für Zeiten, in denen das siegreiche Volk zurückblicken wird auf seine großen Beispiele. Denn es ist wahr, daß nur die echte Erkenntnis und eine aufopfernde Gesinnung in den Mund eines Menschen diesen Tonfall legen und in sein Herz diesen Mut. Als Gegenprobe lese man die ungenauen, schlechten Sätze des herrschenden Abenteurers, der André in den Tod schicken kann; aber Deutsch kann er nicht, ist auch kein Deutscher. Wer sieht denn nicht, daß der Nationalsozialist ein letzter Zustand ist, Kampf und Sterben einer historischen Gattung. Schrecklich in seinem wilden Umherschlagen, will er mit seiner verzweifelten Furchtbarkeit den Sieger die eine Stunde noch aufhalten. Aber hundertmal hingerichtet, der Sieger lebt.

Nicht nur einzelne, ganze Massen wagen täglich das leibliche Verderben, ihr Leben erhält sich nur noch neben dem Abgrund. Jede Stunde kann bei jedem die Gestapo anklopfen, das wäre der Anfang vom Ende – für jeden persönlich, nicht aber für ihre Gesamtheit, und für diese um so weniger, je mehr einzelne als Opfer fallen. Das kämpfende Proletariat Deutschlands durchmißt eine Strecke, wo Ehre dasselbe ist wie Standhaftigkeit im Leiden, und zum Volkshelden wird der Märtyrer. Anders würde niemand das Bild dieses Volkes begreifen können – in seinen Massen-Prozessen: Hunderte Angeklagter, viele schon gefoltert, bevor die Gerichtsverhandlung anfängt. Und andere werden während der Verhandlung auf Befehl des Vorsitzenden in den Keller abgeführt, »zur Vernehmung«. Und Lücken entstehen: Wer die fehlenden Gesichter erkannt hat, erblickt sie vor seinem Geist in Leichenfarben und voll geronnenen Blutes. Das droht dir selbst. Aber nicht Furcht, ein anderer Schauder durchläuft diese Volksmasse: ihr Abscheu gegen dieses gefälschte »Volksgericht«, ihr Haß für die Mörder und die Schinder, die zusammen ein Staat sind. Da steigt eine helle Knabenstimme. Der Junge ruft den Richtern zu: »*Ihr* wollt *uns* vier Jahre Zuchthaus geben? Mensch, in vier Jahren sitzen *wir* dort oben.«

Dies bei geöffnetem Folterkeller und angesichts eines Gerichtshofes, der aus seinem Recht den Begriff »Mensch« gestrichen hat. Er kennt nur die Verteidigung seines Staates. Sogar die Verteidiger der Angeklagten sind nicht für sie, sondern zur Rettung des Staates vor ihnen gestellt. Die angeklagten Staatsfeinde sind ausgeliefert und verlassen, rechtlos und dem Tod anheimgegeben. Dennoch die helle Knabenstimme. Ein alter Arbeiter aber spricht zu den uniformierten »Volksgenossen«, die über ihn richten sollen: »Den Klassenkampf *gibt* es.« Der Sinn dieses Staates ist es, den Klassenkampf wegzulügen: das sagt ihnen der alte Arbeiter bei geöffnetem Folterkeller. Ein Mensch mit den Resten einer einstigen bürgerlichen Haltung, Prokurist eines Handelshauses, setzt diesem – diesem Gericht auseinander, warum er Kommunist geworden ist. Nicht früher – jetzt, beim Anblick des

Schreckens, der Verwahrlosung, womit die Feinde der Kommunisten ihre Zeit verlängern wollen, hat er »seine Überzeugung revidiert« – was ein gelassener Ausdruck zu nennen ist in Anbetracht der Lage des Sprechenden. Man verliert die Nerven nicht und begegnet der übertriebenen Furchtbarkeit mit der Zuversicht dessen, der im Leiden seine Ehre sieht.

Hingerichtet sind Rudolf Claus, Fiete Schulze und viele andere Vorbilder dieses Volkes. Nicht jeder bringt es bis zur öffentlichen Auszeichnung durch Block und Beil. Man wird verfolgt, geschlagen, eingesperrt, kommt halb verhungert heraus – hat hiermit getan, was recht ist, womit heute Ansehen bei den Kameraden und Selbstachtung zu erwerben sind. Man fährt fort wie vorher. Der Schrecken, am eigenen Leibe grausam verspürt, er schreckt nicht. Er wirkt nicht. Der Schrecken schüchtert die Staatsfeinde nicht ein, er macht sie entschlossener. Sie reifen durch Leiden, ihre schweren Erfahrungen machen sie geschickter zum Kampf. Sie lernen denken, und ihr Herz schlägt höher. Woher im Grunde dieser standhafte Mut vor einer übermächtigen Staatsgewalt? Eine herausfordernde Zuversicht, sie erhebt dies Volk gerade an seinen schlimmsten Tagen, wenn massenhaft Opfer fallen. Es ist munter, es hat Witz, und das auf Kosten eines Feindes, dem es vorläufig durch sein Leiden, hauptsächlich durch sein Leiden widersteht. Ja, aber dies Volk erlebt mehr, als man sieht, unvergleichlich mehr, als die äußere Gestalt seines bedrängten Lebens erraten ließe. Das deutsche Volk erlebt jetzt, jetzt endlich die Freiheit: die Freiheit als lebensnotwendig wie Brot und Salz, die Freiheit als ein Gut und Besitz, die erkämpft werden müssen um jeden Preis, und wäre es für noch so viele einzelne der Tod.

Das deutsche Volk, wie es nun geworden ist und weiterhin sich entfalten soll, verdient beklagt zu werden – und verdient auch einen höheren Ruhm, als es jemals besaß. Ein Zuschauer über den Wolken könnte, gerecht und kalt, dahin urteilen, daß es sein Schicksal selbst verschuldet hatte, als es bei sich den Sinn und Begriff der Freiheit verkommen ließ. Gewiß, es war schwächlich im Willen, es überließ sich dem dumpfen Vertrauen in eine mechanisch wirkende Gesetzlichkeit. Der Zuschauer über den Wolken könnte sagen: Erschlaffung, Unglaube, entseelter Betrieb müssen gebüßt und bezahlt werden mit allen Martern der Knechtschaft von dem Volk, das sich ihnen ergeben hatte. Seine heutigen Prüfungen sind wohltätig und lohnen sich. Konnte es zu den Zeiten eines verhältnismäßigen Glückes nicht einig sein, dann erlerne es seine Einigkeit in der äußersten Unterdrückung. Sie ist ihm rechtens zugemessen, und das Dritte Reich, ob noch so abscheulich, ist nur die vorbestimmte Geißel, die es aufpeitschen soll. Entweder es erliegt der Geißel, oder es wird endlich aufstehen als ein wissendes und gefestigtes Volk. Soweit der unbeteiligte Zuschauer, der seine Meinung aus der Höhe abgibt.

Wir – sind weder hoch noch unbeteiligt, sind vielmehr in das leidende, kämpfende Volk mit einbezogen, und in unserem Fleisch und Geist fühlen wir, was es fühlt, seine Erniedrigung ist unsere, wir bluten mit ihm, wir widersetzen uns mit ihm. Da es die Zuversicht hat, daß sein Tag kommt, teilen wir seine Zuversicht. Da es in seiner schweren Zeit viel lernt und begreift, nimmt unsere Erkenntnis zu. Es ist etwas Unerhörtes um Deutschland: eine durchaus neue Verbundenheit seiner Menschen, die übrigens vielfach unterschieden sind, und jeder das Seine erlebt. Hier aber ist es dasselbe, ein Leiden, das überall den gleichen Ursprung, einen durchaus abscheulichen Staat, hat. Von den Massenprozessen werden nicht nur Arbeiter, obwohl meistens Arbeiter, ergriffen. Die zweihundertfünfundzwanzigtausend politischen Gefangenen sind meistens, aber nicht durchweg, Arbeiter. Das sind Bauern und Kleinbürger, die aufgemuckt haben, als es unverkennbar wurde, daß dieser Staat, ihr selbstgewählter Staat, sie zugrunde richtete. Sie hatten sich, von Propaganda berauscht, eingebildet, dies werde ein Staat sein, der die kleinen Verdiener etwas mehr verdienen lassen würde: das nannten sie sogar Sozialismus, womit sie den Begriffsbestimmungen ihres Staates und seiner Propaganda folgten. Im Konzentrationslager, beim »Robben«, was eine Sache auf Tod und Leben ist, beim »Pfählen«, bei der »Vernehmung«, »Razzia« oder im »Bunker«, lauter Sachen auf Tod und Leben, sowie auch wenn sie ihr eigenes Grab schaufeln müssen, wird ihnen das neue Wissen aufgehen.

Sie werden in ihren schrecklichen körperlichen Leiden die Gewißheit finden, daß ein armer Mensch ein armer Mensch ist und daß es durchaus falsch von ihnen selbst war, waffenstarrenden Abenteurern an die Macht zu helfen, nur weil diese damals noch versprachen, kleine Gewerbetreibende zu bereichern auf Kosten der Marxisten. Beim »Robben« und »Pfählen« finden jetzt beide sich wieder, Gewerbetreibender und Marxist. Unterschiede werden nicht gemacht – und das gerade ist die große, fruchtbare Lehre, die dieser Staat seinen Opfern unfreiwillig erteilt. Er erteilt sie noch ganz anderen Leuten. Zahlreich in den Lagern sind die Geistlichen und die Intellektuellen, beide für das Tragen von Kotkübeln und andere Arten besonderer Auszeichnung ein beliebter Gegenstand. Die Geistlichen beider Bekenntnisse, man verlasse sich darauf, waren noch niemals so volksnahe; die Intellektuellen manchmal desgleichen. Unter den Schriftstellern oder Priestern, die das Dritte Reich in seine Höllen versetzt hat, waren einige schon längst davon durchdrungen, daß sie an die Seite der Armen gehören und mit ihnen kämpfen müssen. Ihre Zahl darf nicht überschätzt werden. Die meisten erhalten ihre entscheidende Erziehung in den Höllen des Regimes. Diese Personen zum mindesten werden nie wieder auf das gemeine Volk herabsehen und dem »Führer-Gedanken« künftig unzugänglich sein. Soviel läßt sich behaupten.

Die Machthaber übersäen ihr ganzes Reich dicht und eng mit Zuchthäusern, Strafanstalten und Lagern jedes Ranges – Lager, wo vor allem Martern ertragen und nebenbei Zwangsarbeiten verrichtet werden, und andere, die Arbeitslager heißen und vorgeblich nicht dem Strafvollzug, sondern der Wirtschaft gewidmet sind. Der Unterschied? Die unbescholtenen Landarbeiter, zwangsweise ihrer Heimat und Familie entrissen, schuften zuerst, und das »Robben« folgt als Ergänzung ihres Dienstes an Staat und Volk – nicht gerechnet die Schwängerung der Mädchen und die körperlichen Schädigungen, junge Wesen, die sich von dem schrecklichen Mißbrauch ihrer Leiber ihr ganzes Leben lang nicht erholen werden. Das geschieht in den normalen Bereichen, zwischen den Maschen des Netzes von Strafanstalten, die Deutschland bedecken. Was noch? Zwischen den Maschen flüchten über Berg und Tal die Schwerhörigen oder Hüftkranken, die sterilisiert werden sollen – immer hinter sich den Arzt, der sie ausersehen hat, und die Gendarmen, die sie einfangen. Was weiter? Die »Rassenschande«, eine Erfindung, die zahllose Menschen fortwährend auf der gefährlichen Grenze erhält, hier noch die normalen Bereiche, drüben schon der Strafvollzug.

Nie zu vergessen, daß dieses Dritte Reich eigentlich jeden »haben« will, die Fügsamen, die Vorsichtigen, die Dreisten. Es ist sich bewußt, überall Feinden zu begegnen, da es selbst der Feind ist. Es bedroht mit Krieg alle anderen Völker, weil es mit seinem eigenen nur im Krieg liegen kann. Sein »deutsches Recht« und sein Strafvollzug sind unmenschliche Ausgeburten, berechnet nicht allein auf seine ausgesuchten Staatsfeinde, vielmehr auf alle Deutschen, zuletzt aber auf die Menschen überhaupt. Aus seinem »Recht« hat dieses Reich den Begriff des Menschen entfernt, es faselt Weltanschauung, meint aber einzig seine Macht, und seine Macht ist ein Strafvollzug. Was zuerst die Deutschen erfahren und in ihr Wissen aufgenommen haben. Die anderen folgen nach: bis jetzt scheinen außerhalb der deutschen Grenzen mehr überzeugte Nationalsozialisten vorzukommen als im Lande. Die Deutschen sind belehrt, und sie wollen nicht mehr, obwohl sie einst willig genug waren, daß gegen sie selbst die ungeheuerlichste Macht und Gewalt aufgerichtet werden konnte. Die müssen sie jetzt besiegen.

– zur Freiheit

Der Kampf wird zuerst von den Arbeitern geführt. Jede andere Klasse widersetzt sich auf ı. re Art und wo sie selbst sich getroffen fühlt. Die Proletarier sind es allein, die das Regime ganz ergreift, ganz entrechtet, ganz zu seinem Raub und seiner Beute machen will. Seine offenkundige Absicht ist, einen Teil des Proletariats auszurotten, den übrigen aber die innere und äußere Haltung von Höhlenbewohnern beizubringen.

Die geheime Verbindung mit der Emigration öffnet den Arbeitern, von allen Deutschen fast nur ihnen, ihr Gefängnis. Sie werfen Blicke ins Freie, sie vernehmen Losungsworte, sie wissen um Freunde: das sind, dank dem gemeinsamen Schicksal, nicht nur ihre Klassengenossen. Einem emigrierten Schriftsteller ließen Arbeiter durch ihre Funktionäre schreiben – ein Brief, der Umwege machte, und seine Schrift wurde nicht jedem sichtbar. Darin dankten sie ihm für seine Arbeit und ermutigten ihn. Bedrängt und gefährdet, wie sie waren, fanden sie dennoch Zuspruch für einen, der im Kampf steht, und das ist der ihre. Sie sagten ihm, daß sie es schaffen werden, er soll dereinst in einem freien Deutschland leben können. Da sie tapfer und klug sind, werden sie es wahr machen. Die Einsichtigsten im Lande sind heute bei weitem die Arbeiter: das sei bemerkt für Aristokraten oder Herrenmenschen, die Nietzsche in den falschen Hals bekommen haben. Die »Herde« ist nicht immer dort, wo man meint. Die Schöpse können unter den Herrenmenschen zu suchen sein.

Die deutschen Arbeiter sind im Lande die Bestunterrichteten, aber besonders gebrauchen sie ihre Kenntnisse mit der Umsicht, der Klarheit, die man durch äußerste Gefahren erwirbt. Ausländische Sender, aber vor allem ihre eigenen Kameraden, die zwischen Saar und Lothringen über die Grenze hin und

her gehen, beweisen ihnen, wieviel die französischen Gruben-
arbeiter der Volksfront verdanken. Sie bringen darüber hinaus die Luft der Freiheit mit und die lebendige Ermahnung,
daß die Arbeiterrechte etwas Wirkliches sind, sobald um sie
gekämpft wird in der unwiderstehlichen Einigkeit einer Volksfront. Das sind Meldungen, die das Blut erwärmen, und sie
durchlaufen von Westen nach Osten das Land, die Köpfe
werden davon heller, die Hände härter. Ein Gauleiter droht
ihnen: »Denkt nur nicht, hier käme das jemals wieder!« –
»Das glaubst du selber nicht mehr«, heißt die Antwort und
muß nicht ausgesprochen werden. Handeln ist besser.
»Als nun die Dreher gegen die Absicht der Direktion zu mur-
ren anfingen, traten kommunistische und sozialdemokratische
frühere Gewerkschaftskollegen miteinander in Verbindung
und gaben die einheitliche Losung des Widerstandes aus.«
Die wenigen Worte, ein geringer Ausschnitt aus den täglichen
Vorgängen, sie enthalten dennoch die größte Tatsache; sie
bekräftigen Hoffnungen, noch vor kurzem waren diese
schwach und lagen fern. Indessen vernichtet man Einrichtungen und Gesetze, man tötet Menschen; eine Klasse wird in
der Not erst ganz sie selbst, wird Element und einigt sich
elementar. Ihre Einigkeit bekommt den Wert, der verkannt
war; denn die Freiheit, ihr gemeinsames Ziel, erscheint endlich zum Leben notwendig wie Brot und Salz. Dann ist das
Wichtigste getan, da die Einheitsfront der Arbeiter, überall
wo sie auftritt, die Front des ganzen werktätigen Volkes
nach sich zieht. Alle, nicht nur die Arbeiter, begreifen die
Freiheit – nach ihrem Verlust. Daher folgt dem Faschismus
die Volksfront wie der Donner dem Blitz; aber ihre erste
entschlossene Miliz sind die vereinigten Arbeiter. Die anderen
Abteilungen der Volksfront werden mitkommen, wenn sie
eine Kraft fühlen. Das Land im ganzen zeigt jetzt die Stunde
an, in der sein Entsetzen sich legt und die Gedrückten den
Nacken erheben. Eine Volksschicht nach der anderen atmet
stärker, sie wagen dem nationalsozialistischen Schicksal, das

sie bald erstickt hätte, in das Gesicht zu sehen. Die Bauern in Gegenden, wo viele von ihnen beisammen wohnen, widersetzen sich offen, ihr Haß gegen das Regime bleibt nicht dabei stehen, »die Agrarmaßnahmen der Regierung« nur zu »kritisieren«, sie machen sie unwirksam, sie verhöhnen sie. Nehmen die Folgen auf sich, begegnen der Gewalt mit Gewalt, holen sich ihren Pastor zurück, wollen Staatsfeinde sein, wie er einer ist, und mit ihm in das Lager gehen. Die Arbeiter, als erste Truppe der Volksfront, haben hinter sich diese zweite.

Die Arbeiter, als erste und entschlossenste Truppe, werden endlich sogar den Mittelstand hinter sich bekommen, diese ewig enttäuschten kleinen Gewerbetreibenden, Geschäftsleute, Handwerker, mittleren Beamten und höheren Angestellten, die mit der Republik nicht auskamen, sich aber von dem Dritten Reich unverzeihlich vernachlässigt fühlen. Sie hatten den Abenteurern doch so schön hinaufgeholfen, diese Spießer. Wurden lange vor dem Antritt Hitlers beim Pflanzen von Hakenkreuzfahnen auf ihren Balkons gesehen. Haben damals in mehreren Millionen nationalsozialistischer Versammlungen begeistert geschwitzt. Die Arbeiter – und einige andere Personen – müssen die Bilder, die sie von dieser Klasse seither in sich aufbewahren, um des ganzen Volkes willen unterdrücken. Heute kann der Mittelstand die Protestversammlungen, die ihm am Herzen lägen, nicht abhalten, aber die Fahnen, die er nicht mehr hinaushängen möchte, gerade die wird er nicht los. Die nationalsozialistische Mißwirtschaft hat auch ihn der Vernichtung nahegebracht, der Krieg droht auch ihm mit dem blutigen Ende, und die Gestapo fordert schon jetzt das Blut dieser Klasse wie aller anderen. Die Gestapo – sie führt Listen über alle Deutschen, kein Deutscher, der nicht damit zu rechnen hätte, früher oder später ihr Opfer zu werden. Wenn sonst nichts die Deutschen einigen sollte, dann wäre es die Gestapo. Dies beweist ihnen am eigenen Leibe, daß sie vor ihrem schlimmsten Feind alle gleich sind. Sie sind wahrhaft darüber belehrt, daß sie gemeinsam handeln müssen gegen den Feind, der sie alle meint: Arbeiter, Denker, Christen, Marxisten, »feine Leute« und der Mittelstand. Der Sinn für die lebensnotwendige Freiheit wird nicht vom Haß allein gespeist. Sehr nahrhaft ist die Verachtung.

Wer sollte in diesem Deutschland mit der Verachtung so vertraut sein wie die Intellektuellen. Gerade sie fehlen zu sehr im Bild, und die schon weit herangebildete Volksfront gegen einen ehrlosen Staat vermißt bis jetzt die, deren ganzes Daseinsrecht die geistige Ehre wäre. Wir können vermuten, daß ihnen im Lande nicht wohl ist, sie fühlen sich abgeschlossen, verhindert, im Wert herabgesetzt, und natürlich verachten sie das Regime. Man bedauert, daß sie es nicht weniger zeigen als jede andere Schicht im Lande und daß viele von ihnen bemüht sind, als Anhänger der Regierung zu erscheinen – mehr als das, seine Rechtfertiger, sein gutes Gewissen. Das sind Leute, die keine eigene Sprache mehr führen: sie schreiben, alle überein, das aufgepumpte, leere Deutsch, das dieses Regime eingeführt hat, um »Weltanschauung« vorzutäuschen. Darin bewegen sich Intellektuelle dieser bewundernswerten Gattung, seien sie übrigens Juristen, Dichter oder Lehrer der »Wehrwissenschaft«. Die Ärzte, die wohl wissen warum, verfallen in Emphase, sobald sie der Öffentlichkeit aufbinden müssen, daß nach der Austreibung der jüdischen Medizin jetzt endlich die deutsche wieder ersteht. Das reicht bis zu den Physikern: sie würden es sich niemals verzeihen, wenn sie für ihre Wissenschaft nicht dieselben albernen Ansprüche erhöben, und in derselben wolkigen Rede. An seiner Sprache erkennt man das Regime. Wer zu ihm hält, legt mit der Einfachheit die Genauigkeit ab. Beide wären gefährlich, da sie verräterisch wären.

Andere führen mit voller Absicht die Sprache des Regimes, um sich nicht zu verraten. Man sieht den Vordergrund, die Organisation, in die das Regime seine denkenden Objekte gepreßt hat, damit sie aufhören zu denken. Man sieht das

Geschmeiß der gekauften Straf- und Staatsrechtler, Geschichtsfälscher und Rassen-Hochstapler: sie mögen sich hüten, sie haben von nichtswürdigen Angriffen auf die Würde des beseelten Menschen um einiges zuviel für erlaubt gehalten. Das ist der Vordergrund. Richter, die es von Bestechungen abhängig machen, ob sie Menschen zur Unfruchtbarmachung verurteilen oder nicht, glänzen im vorderen Licht dieses Reiches. Schwer ist es zu ermessen, was dahinter im Dunkeln sich abspielt an sittlichem Elend, an Scham, an verhindertem Aufstand. Öffentlich lügen müssen und nicht einmal im Vertrauen sich aufdecken dürfen – der andere könnte es melden. Auch möchte man nicht einmal seinem Spiegel eingestehen, wer man ist und wohin geraten. Hier liegt alles anders als bei den Arbeitern, die ihre früheren Parteifreunde mit Rede und Antwort herumbringen, bis der Nazifunktionär wieder ihr Genosse ist und dem Lohnabbau zuvorkommt. Kaufleute haben sich offen geweigert, für die »Winterhilfe« noch Geld zu geben. Die Korruption dieser Einrichtung hatte das Maß überschritten, ihre Verachtung gab den Kaufleuten einen ungeahnten Mut. Wie verhalten sich Schriftsteller? Einige von ihnen, die nach Maßgabe dieses Regimes und ihrer willfährigen Kollegen unwürdig befunden waren zu schreiben, leisten Zwangsarbeit bei Straßenbauten. Alle anderen sehen zu und schweigen. Was ist danach von ihnen zu hoffen? Daß sie mitlaufen, mitschreiben – in Zukunft wie jetzt, auch bei der Volksfront, sobald diese stark genug ist, und bei der Revolution erst! Da werden sich Rachegefühle entladen für alle erlittene Scham und für eine so wohlverdiente Selbstverachtung. Arbeiter, vertraut den Intellektuellen zuletzt. Sie waren im Lande nicht gut – nach außen fast nie; aber natürlich müßt ihr ermitteln, welche von ihnen trotz allem zu brauchen sind; und eure Freunde kennt ihr ohnedies.

Die Arbeiter müssen Verbindungen suchen, sie sind davon durchdrungen, sie beobachten gewisse Fortschritte anderer Volksschichten und werden übrigens auf sie hingewiesen, dafür ist gesorgt. Die meisten Volksschichten wissen über sich selbst soviel nicht, wie die Arbeiter wissen. Das Erlebte des Dritten Reiches hat bis jetzt ergeben, daß ein Volk zuerst frei sein muß, eine kollektive Macht gegen Unterdrücker sein muß. Vorbehalten bleibt denen, die um ihres Glaubens willen verfolgt werden, zu begreifen, daß der Anfang alles Übels die wirtschaftliche Übermacht einer Klasse war. Die wirtschaftlich Übermächtigen werden politisch auf ein Volk drücken, werden es entrechten und ihm schlecht bezahlte Zwangsarbeit auferlegen. Endlich aber werden sie genötigt sein, es auch geistig und seelisch zu verstümmeln, ihm sein Wissen und seinen Glauben abzusprechen. Sie müssen es, selbst wenn sie es gar nicht wollten, was aber von der herrschenden Klasse Deutschlands nicht zu sagen ist.

Diese Besitzer des Bodens und der Produktionsmittel sind in Deutschland mit einer ganz besonderen Dummheit geschlagen. Wann immer sie ihre tölpelhaften Machtansprüche durchsetzen konnten, ging ein Staat zugrunde. Sie haben das Kaiserreich in den aussichtslosen Krieg gehetzt, sie haben gegen die Republik die Nazis bezahlt; das Ende des Dritten Reiches würde, wenn es nach ihnen ginge, wieder der Krieg sein. Das Dritte Reich wird aber nicht am Krieg, es wird an der Revolution sterben. Sie sollen es nur in den Krieg hetzen: wie bald würde dieser von einer Revolution nicht mehr zu unterscheiden sein! Die herrschende Klasse in ihrer Trampeltiergesinnung hat diesem Volk Aufseher mit Folterinstrumenten gegeben. Sie ist verantwortlich für ihren Hitler und für seine Gestapo. Das Trampeltier begreift nicht, daß seine Rüstungsgewinne und die Aushungerung der Arbeiter, so verbrecherisch sie sind, doch erst durch Hitler und die Gestapo zu seinem letzten Verbrechen wurden. Darauf folgt keines mehr. Wird den Mitgliedern der Klasse Trampeltier eigentlich nicht schwül? Wohin haben sie denn, für den vorauszusehenden Fall, ihr Geld verschoben? Bei ihrem Geschäftsteilhaber Schneider-Creusot kann es, nach seiner Verstaatlichung, auch nicht mehr sicher sein. Eine individualistische Einrichtung für Kriegshetze und Aushungerung, aber aufgesogen hat sie den Staat: er trägt, alle Hitlers und Gestapos beiseite, zuletzt nur das wüste Gesicht neunzigjähriger Kriegsindustrieller mit blutunterlaufenen Augen und das leere Gesicht verlebter Schlingel aus Gutshäusern. Die Klasse Trampeltier hofft wohl nicht? Doch. Sie glaubt sich ihrer Sache gewiß, sie hat die Gewalt. Bilde sich niemand ein, daß im Verkehr mit ihr die Gegengewalt vermeidbar wäre. Die Mehrheit der Deutschen folgt inständig dem Krieg um die Freiheit in Spanien; sie erfaßt noch nicht wirklich, daß auch Deutschland für die Freiheit seinen Krieg führen muß, oder es hätte niemals wirklich die Freiheit. Groß und schön ist die Einheit der Arbeiter; um so schöner und größer wäre, wenn sie dastände, die Volksfront. Aber eine Volksfront hat die Freiheit zu verteidigen, wo sie nur erst bedroht ist, sie muß sie erobern, wo sie schon geraubt ist. Darüber hilft kein noch so einmütiges Bekenntnis zur Demokratie hinweg. Der Kommunist kann es ablegen in Gesellschaft des Liberalen; ein kommunistisches Flugblatt, das im Lande verbreitet wird, sagt allen, die es lesen: »Wir Kommunisten kämpfen für die demokratische Republik ... Der Kampf für das demokratische Deutschland ist der gemeinsame Weg aller Werktätigen zum Sturze Hitlers.« Später, später entscheidet sich das Wichtigste: der Inhalt der Demokratie. Sie wird erfüllt sein, wenn mit der Diktatur der Abenteurer zugleich die wirtschaftlich Übermächtigen fallen; sonst kämen früher oder später die Abenteurer zurück. Mit Recht wird vermieden, die Volksfront zu gefährden durch vorschnelle Forderungen. Die unerläßlichen Forderungen – die Demokratie selbst wird sie herrisch genug aufstellen, nachdem sie erkämpft ist.

Hier soll kein Zweifel gelassen werden, daß der letzte Abschnitt des deutschen Freiheitskampfes, der Kampf schlechthin, hart und furchtbar sein wird. Massenkämpfe wie diese, gegen eine Macht und Gewalt wie diese, werden selten bestanden worden sein. Die Voraussetzungen sind gegeben. Die Deutschen, alle Deutschen, die nicht Kreaturen des Regimes sind, haben es bis auf den Grund der Seele satt. Sie lehnen sich gegen seinen Eroberungskrieg auf und wissen, daß er das einzige Ziel und der letzte Ausweg der herrschenden Abenteurer wäre: man beseitigte sie denn. Wie die Deutschen selbst haben die anderen Völker dies begriffen. Die Wünsche der Völker sind mit den Deutschen, gegen ihren inneren Feind. Die Empörung der internationalen Volksseele aber ist imstande, hinwegzufegen alle niedrigen Berechnungen kapitalistischer Regierungen. Übrigens, was bleibt diesen zu berechnen, sobald es feststände: die Deutschen sind bereit, nunmehr abzuschließen mit dem Gelichter, das ein gesittetes Volk schinden, schänden und zum Abscheu der Menschheit machen wollte. Heute wird der Abenteurer noch geschont von den Regierungen, wird zu Verhandlungen zugelassen, und sie tun, als glaubten sie ihm, sie übersehen seine Herausforderungen, ertragen seine Friedensreden, zucken nicht mit der Wimper, wenn er die Rettung Europas in seinen lügnerischen Mund nimmt. Warum die Höflichkeit? Nicht doch vielleicht, weil man wartet – seine Abnutzung erwartet und auf die Deutschen hofft? Kaum daß sie losschlagen, schon wird der Abenteurer keinen Befürworter mehr haben; es wird zum Staunen sein, wie sie plötzlich alle über ihn Bescheid wissen und wie sie auspacken. Er wird erst recht niemand finden, der herbeieilt und für ihn die Haut wagt: der nächste Bundesbruder und Mitdiktator nicht; und erst daran wird zu ermessen sein, wie wenig er eigentlich gegolten hat, wie wenig er da war. Die Deutschen müssen nur losschlagen, ein Aufatmen ohnegleichen geht alsbald durch die Welt.

Ziele der Volksfront

1939

Das Ganze ist, einfach und ehrlich zu sein: nur wer Vertrauen verdient, hat die Aussicht, durchzudringen in einer Welt, die der sinnlosen Verwickelungen und der dummen Lügen überaus satt ist. Sein und Nichtsein der deutschen Volksfront hängen davon ab, ob sie sich vorsetzt, was recht und was erreichbar ist. Frei von Täuschung und Selbsttäuschung wird sie ihren Weg machen. Ihr Ziel verlangt den höchsten Sinn für die Wirklichkeit, da ihr Ziel nicht einfach die Macht ist, sondern die gerechte und nützliche Anwendung der Macht.

Es war leicht, den Deutschen, jedem ihrer Teile alles auf einmal zu versprechen, wenn man im voraus wußte, daß nichts gehalten werden sollte, oder wenn man nicht einmal soviel wußte, sondern ins Leere redete. Bis 1933 wurde den Arbeitern der Sozialismus, den Bauern die Brechung der Zinsknechtschaft versprochen. Die Entschuldung der Höfe, Senkung der erdrückenden Steuerlasten, der Schutz gegen Vollstreckungen, nichts war zu teuer. Seither ist der Fall eingetreten, daß einem ganzen Volk, bis auf weiteres ungestraft, gesagt werden kann, es müsse hungern. Es müsse hungern für Ziele, die nicht seine, sondern ausschließlich die Ziele des Regimes sind.

Die Arbeiter bekommen jetzt zu hören, daß ihr gerechter Lohn erst nach der Eroberung der Weltherrschaft in Frage kommt. Da die Weltherrschaft eine Illusion ist, entrückt jede Kanone, die sie machen müssen, den gerechten Lohn in weitere Fernen. Für die eingebildeten Arbeiten der Aufrüstung bekommen sie nur gerade den Lohn, den sonst die Arbeitslosen als Unterstützung bezogen. Mehr sind eingebildete Arbeiten nicht wert. Allerdings haben sie den Vorteil, daß in der Kriegsindustrie die Arbeitslosen versteckt werden können.

Trotz angestrengtester Tätigkeit sind sie in Wahrheit arbeitslos wie je: ihre Arbeit ist eingebildet, sie wird niemals Folgen haben, es wäre denn den Krieg und das Ende der Dinge.

Die Bauern sagen heute, daß der Vollstreckungsschutz sie alle bitter enttäuscht habe. Über die Brechung der Zinsknechtschaft sagen sie, daß sich nichts geändert habe, nur daß sie früher ihre Erzeugnisse zum richtigen Preis verkaufen konnten, wann und wo sie wollten. Ihre Höfe seien nicht entschuldet, entschuldet wurden nur die Großagrarier. »Statt der Senkung der Steuerlasten wurden im vorigen Jahr die Einheitswerte nicht unwesentlich heraufgesetzt. Die Bürgersteuer – von den Nationalsozialisten früher als ›Negersteuer‹ bezeichnet – wurde nicht nur beibehalten, sondern in vielen Gemeinden erhöht. Aus der Abschaffung der Schlachtsteuer wurde eine Erhöhung.« Jeder Deutsche, mit Ausnahme einiger Millionäre und der achthunderttausend Schmarotzer des Regimes, ist persönlich in der Lage, die Liste der nicht gehaltenen Versprechungen zu verlängern.

Das Schicksal eines Volkes ist das seiner Frauen und Kinder. In Nürnberg wurde denn auch behauptet: »Alles, was wir tun, tun wir letzten Endes für das Kind.« Was vorletzten »Endes« so aussieht, daß die Kinder angehalten sind, in Mülleimern nach Resten zu suchen, und daß immer mehr Schulen geschlossen werden. Eine sogenannte Reichsfrauenführerin behauptet, daß »achtlos eine Scheibe Brot, die nicht mehr ganz frisch ist, fortgeworfen« werde. Wär es an dem! Das Brot wird gegessen mitsamt der härtesten Kruste, obwohl es, so sagen die Frauen, »nicht von dem Getreide ist, wie der Bauer es erntet«; sondern es sei verfälscht. Die Frauen wissen sehr wohl warum. Der »Vater aller deutschen Kinder«, wie er sich in den Schulbüchern nennen läßt, denke gar nicht daran, seinen Kindern das Brot schmackhaft zu machen. Den Krieg wolle er ihnen schmackhaft machen.

Die Frauen meinen, daß die Naziführer ihnen ins Gesicht lügen. »So haben wir vier Jahre die Not gebannt und die stolzen Worte wahrgemacht, daß im heutigen Deutschland niemand unverschuldet zu hungern und zu frieren braucht.« Die Worte, noch dazu ihre Wiederholung nach den Erfahrungen der vier Jahre, klingen weniger stolz als schamlos. Möglich wäre immerhin, daß, wer sie noch immer zu sprechen wagt – diese Worte im heutigen Zustand Deutschlands –, sie wenigstens halbwegs glaubt. Vielleicht spricht ein Naziführer sie aus Angst vor der Erbitterung, die heransteigt, und dem nahen Volkssturm. Aber es wird ebensoviel Selbsttäuschung dabeisein. Es geht ihnen selbst gut auf Kosten des Volkes, das daher, ob es will oder nicht, zufrieden sein muß. Punktum, es ist zufrieden.

Besonders spricht aus jedem Naziführer die große Illusion. Es ist der leere Schein, worin das Regime mitsamt allen seinen geschworenen Verteidigern ausschließlich sein Wesen treibt. Es bildet sich ein, Deutschland eine niemals verlorene Ehre zurückgegeben zu haben: davon soll Deutschland jetzt leben. Das Regime bildet sich ein, es habe Deutschland glücklich gemacht, seitdem es gefürchtet wird – als ob nicht Deutschland selbst die größte, bestens begründete Furcht hätte. Man pflegt die Einbildung, ein Regime ohne sittliche Hemmungen wäre auch das stärkste Regime, und darum könnt ihm durchaus nichts geschehen. Nach dem eigenen Volk wird es die anderen Völker betrügen, so lange, bis ihm keine Macht mehr gegenübersteht, dies aber, »wenn es geht, ohne Krieg«, wie schon längst versichert wurde.

Das Regime verfügt über Deutschland, es hat eine tatsächliche Macht. Nur das Stück Macht, das es besitzt, verdeckt die grauenhafte Sinnlosigkeit seines Treibens und aller seiner Ansprüche. Man denke, eine Sekte, die kein Volk hätte, um es zu mißbrauchen, würde offen verkünden: Wir umkreisen Frankreich, nehmen ihm seine Kolonien und drücken es zu einer Provinz herab. Wir befestigen uns im Mittelmeer, schließen zur See die britische Reichsstraße und zerstückeln das Britische Reich. Mitteleuropa ist deutsch, wie der Lauf

seiner Flüsse und seine Gebirgszüge beweisen. Wir unterwerfen es und dringen nach der Sowjetunion vor, wegen der
Ukraine, die wir nicht brauchen können. Was bleibt übrig?
Amerika, das sich für einen Schmelztiegel der Rassen hält.
Gefehlt. Unsere Rasse ist die erwählte, sie wird mit den anderen fertig werden. Wir bekommen auch Amerika.
Eine Sekte ohne greifbare Macht, die einen solchen Plan an-
meldete, würde als ein Stammtisch von Verrückten angesehen
werden. Nun ist aber, an der Ungeheuerlichkeit seines Pro-
gramms gemessen, das deutsche Regime ein Stammtisch, und
wörtlich nicht mehr als das. Deutschland ist eine Großmacht
der Zivilisation in Zeiten, da es um sich selbst bemüht ist.
Angesichts von Weltmächten, die es zerstören wollte, war es
jedesmal nur der Beginn einer Macht, und der war falsch,
wie die Ergebnisse zeigen. Falsch bis zur Blödsinnigkeit ist
das heutige Programm, mit eingeschlossen den Satz: wenn es
geht, ohne Krieg. Es geht weder mit noch ohne Krieg, führt
aber zum Krieg – und dies nach der voraufgegangenen töd-
lichen Schwächung der eigenen Menschen, des einzigen Macht-
mittels. Die Deutschen körperlich schwächen, sie geistig verringern, sie wirtschaftlich in die Enge treiben, sie seelisch
zerrütten; zwischendurch und hintendrein mit ihren Kräften,
die täglich abnehmen, die Welt erobern: das ist die Absicht.
Das Stück vorhandener Macht erlaubt Vorbereitungen – die
in Wirklichkeit gar nichts vorbereiten. Schein bleibt Schein,
und einer Illusion gibt man das Leben weder mit Gewalt
noch mit Geld. Man versucht einer Welt, die unterworfen
werden soll, ihre geistige Grundlage zu entziehen. Der Sinn
für die Freiheit, den man umnebeln möchte, ist allerdings für
Völker, die sich erhalten wollen gegen Angreifer, lebenswich-
tig wie sonst nichts. Lassen sich denn die Menschen, sei es mit
List und Heuchelei, das Gefühl für ihre Erhaltung abkaufen?
Die Demokratien bemerken im Gegenteil erst jetzt, wieviel
sie zu verlieren haben. Die Deutschen ihrerseits wissen jetzt
um die Freiheit, und wußten darum weniger, als sie noch

Christen und Sozialisten sein durften, als die Lohnkämpfe, der gesetzmäßige Erwerb und das aufrichtige Denken erlaubt waren. Verfolgungen – wer ist in Fragen der menschlichen Natur unwissend genug, um seinen Erfolg von Verfolgungen zu erwarten? Der Stammtisch, mit dem Ansatz von Macht, den er nun einmal hat, und gebraucht ihn für Unfug.

Die Weltpropaganda des Regimes wird von denen selbst, die sie vernichten soll, mit zwanzig Millionen Pfund berechnet. Wenn aber jemand vernichtet wird, sind es immer nur die Deutschen, denn ihre Armut bezahlt die Illusion. Geld ist knapp für die Universitäten Deutschlands, aber es fließt reichlich für deutsche Schulen im Ausland, für reisende Theater und den fremdsprachigen Rundfunk. Man ergibt sich wilden Träumen von der geistigen Eindeutschung der Welt, indessen man Deutschland verkommen läßt. Der Traum wäre, daß endlich die Völker der Welt geistig wurzellos würden, verlernten ihre Überlieferung, ihre Kultur und glaubten an sich selbst nicht mehr, worauf sie eine leichte Beute wären. Die kulturelle Propaganda des Regimes, die auf die Abwürgung der gemeinsamen Gesittung der Völker ausgeht, ergänzt wird sie durch Gewalthandlungen und Spionage. Die Unzahl der politischen Agenten, mit denen ein einzelnes Land alle anderen überschwemmt, die Attentate, Verschwörungen und Bestechungen, die ihr Werk sind, das alles soll in geheimen Hintergründen bleiben; man ist dumm genug, sie für geheim zu halten. Vorn im Rampenlicht spielt ein herrliches Orchester den Hauptstädten der Welt die alte deutsche Musik vor, in der unfaßbaren Annahme des Regimes, sie könnten es für die Musik des Regimes halten und setzten auf seine Rechnung nicht die Attentate, sondern die Musik.

Die vorbereitenden Handlungen der großen Illusion sind selbst nichts anderes als eingebildet. Niemals ist dermaßen gegen die Wirklichkeit, in all und jedem gegen die bekannte Wirklichkeit gelebt worden. Nicht nur die Deutschen, die geopfert werden, auch das Regime, das sie aufopfert, erregt zum Schluß ein Bedauern, sofern es Bedauern verdient, wenn die menschlichen Verirrungen hinausgetrieben werden über die herkömmlichen Grenzen. Das Regime, das Deutschland mißbraucht, zieht das Menschentum tiefer herab – will es übrigens und sucht darin sein Heil. Besteht hartnäckig auf einer Ideologie der Entmenschung – die überall durchschaut wird als ein Kunstgriff, und das Regime ist selbst genötigt, sie fortwährend zu widerlegen durch seine Taten. Es hat als Verbündeten die Londoner City mit allen ihren Juden, und es verschwört sich mit einem bolschewistischen Marschall. Gleichwohl bleibt übrig von der Ideologie, daß nicht mehr wie einst »das Moralische sich von selbst versteht«, was schon Einschränkung genug war; sondern das Moralische ist schlechthin der Feind. Man besiege das Sittengesetz, schon herrscht man unumschränkt. Der Sternenhimmel über uns und das sittliche Gesetz in unserer Brust, den Spiegelfechtern hält nichts stand. In Wirklichkeit haben sie aus der sittlichen Welt nichts und niemand entfernen können; daher werden sie auch aus der politischen Welt nichts und niemand für immer entfernen. Nur sich selbst. Sittlich sind sie schon jetzt nicht vorhanden. Die politische Niederlage wird angekündigt von der sittlichen.

Die Welt ist der sinnlosen Verwickelungen und dummen Lügen überaus satt. Die Volksfronten sind vor allem ein Kampf um die einfache Tatsächlichkeit, in politischer Form sind sie ein moralisches Bekenntnis. Die Regierungen gehen meistens an der Lüge zugrunde, wie Carlyle sagt. Der Ausspruch, daß die Politik an manchen Orten eine Verschwörung gegen die Völker geworden ist, gehört Holbach. Der eine dachte das Seine beim Nahen der Französischen Revolution, der andere schrieb ihre Geschichte. Das Moralische wird immer höchst aktuell vor echten Umwälzungen. Man sucht es zu unterdrücken, wenn betrügerische »Revolutionen« vorgenommen werden. Das gründlichste Unternehmen der zweiten Art ist zweifellos der Nationalsozialismus, weshalb er denn weiter als seine Vorgänger in der Widermoral geht. Der Nationalsozialismus hat ein Volk, das den Gebrauch der Freiheit erst hätte erlernen sollen, um sein besseres Selbst gebracht, als er ihm die Freiheit und alle seine Rechte entzog. Was er ihm dafür anbot, war die große Illusion der Weltpolitik. Die Verschwörung gegen ein Volk bedingt, daß man es von seinen inneren Eroberungen ablenkt auf auswärtige, und die rasende Weltpolitik ist meistens nicht nur die Illusion der Unzugänglichen, sie ist auch die Lust von Dieben.

Wenn die Deutschen jetzt um ihre Volksfront bemüht sind, wissen sie wahrscheinlich, daß es mit dem Vorrang der äußeren Politik zu Ende sein muß. Gegenstand und Ziel der Volksfront sind nicht fremde Gebiete, sondern Deutschland – wo es mehr zu erwerben gibt als irgend sonst. Zu erwerben gibt es den weiten Raum des Landes, wo hunderttausend Morgen brachliegen. Mehr Menschen sind anzusiedeln auf dem Boden der deutschen Latifundien als jemals in fernen Kolonien. Der gerechte Lohn der Arbeiter wird weder durch gewonnene noch verlorene Kriege gesichert; die Produktionsmittel, nicht gegen, sondern für das Volk verwendet, ergeben den Lohn. Die Wiederabrüstung gewährt mehr Aussicht auf Ernährung, Bekleidung, Wohnung als die dauernde Bereitschaft, Krieg zu führen – die schon der Krieg selbst ist, ein ewiger Krieg. Der ewige Krieg ist ein Traum und kein schöner, um Moltke frei zu zitieren. Gebt die Illusion auf. Die Deutschen, die jetzt die Gesinnung einer Volksfront bekennen, entfernen sich von den wesenlosen Einbildungen.

Sie sehen, daß Deutschland ein geschlossener innerer Teil dieses Kontinentes ist, mit geringem Anschluß an die Meere und ohne den natürlichen Anspruch auf die Einverleibung anderer Teile des Kontinentes, die ihm übrigens nicht helfen könnten. Ein Land wie dieses hilft sich im Gegenteil, wenn es seine Umwelt, die Europa ist, anerkennt und über sich beruhigt. Die Unruhe des Erdteils, insofern sie eine deutsche Unruhe war, hat sich an allen, aber jedesmal zuerst an

Deutschland gerächt. Deutschland trägt, längst vor denen, die es bedrohen möchte, und schwerer als sie, an seiner Strafe. Die Kraft, die es aufrichten kann, heißt Einfachheit, heißt Ehrlichkeit. Stellt im Lande die Machtverhältnisse her, die natürlich wären – anstatt der zwölfhundert Millionäre und Millionen Zwangsarbeiter. Aber das ist nicht alles. Ihr müßt eure Demokratie nicht nur wirtschaftlich sichern und militärisch verteidigen: sie wird fest sein, wenn eure Herzen fest sind.

Die Demokratie ist eine Frage der geistigen Geschultheit und des sittlichen Bewußtseins, woran das meiste zu tun, worüber viel zu sagen bleibt.

Die Widerstände

Es fehlt nicht an Tatsachen, die eine deutsche Revolution
wahrscheinlich machen. Sollte sie dennoch ausbleiben oder
erst durch den Krieg und in Gestalt des Krieges eintreten, das
Volk der Deutschen muß daran nicht durchaus die Schuld
tragen. Es ist ein Volk wie andere, gehorcht allgemeinen Gesetzen, und wo diese gebieterisch sind, kann es nicht versagen.
In seiner gesamten Geschichte stand es aber schwerlich unter
der Macht von Tatsachen, die wie diese eine Revolution fordern und sie wahrscheinlich machen. Vielleicht fordern sie im
Gegenteil zu gewaltig, und die Wahrscheinlichkeit ist überwältigend. Das Augenscheinliche darf nicht zu weit gehen,
dann wird es zweifelhaft. Hemmungen pflegen gerade dann
zu entstehen, wenn alles drängt und kein Ausweg bleibt.
Menschen werden eher durch mäßige, übersichtliche Miß-
stände außer sich gebracht als durch ganz ungeheure, von
denen man kein Bild mehr hat. Im Altertum opferten sie dem
Ungeheuer arme Jungfern, die sie vor der dunklen Höhle
anbanden, anstatt die Höhle auszuräuchern und das Ungeheuer zu erschlagen. Dafür mußte ein großer Retter kommen. Sind die Deutschen anders? Sie haben einen Staat, der
nichts gewährt, sondern in einem fort »Opfer« verlangt.
Opfer sind immer Menschenopfer. Ihr sollt Kanonen, keine
Butter haben, heißt: Ihr sollt sterben. Sterilisieren heißt natürlich: Ihr sollt sterben. Der Tod wohnt in der unbezahlten
Zwangsarbeit, in der Verfolgung der Lohnkämpfe, der Be-
spitzelung der Arbeiter, der Karteikarte; ebenso wie der Tod
in den »Erbhöfen« der Bauern wohnt, in ihrer Enteignung,
samt dem Verbot, daß Sterilisierte noch Bauern sein dürfen
oder daß die nichtsterilisierten Bauern ihre Produkte zum
richtigen Preis verkaufen dürfen. Das alles, und ungezählte
andere Ansprüche des Staates, schließt den Tod der Menschen

mit ein, seine unmittelbaren Gelegenheiten zu töten noch nicht gerechnet, als da sind: das Verhungernlassen, Totprügeln, Foltern, Hinrichten.

Die Funktion dieses Staates ist der Tod, und er ist seine einzige. Kein Regime könnte in Dingen des Lebens dermaßen leer und nicht vorhanden sein. Kündigt es einen Vierjahrsplan an, dann bleibt das solange ein Nichts von einer Redensart, bis allerdings wieder der Tod herausgrinst und seinen Trick vollführt. Das ist die regelrechte Organisation des Hungers, Preisbildung genannt. Das sind Milliardensubventionen für dreitausend Millionäre, und für den armseligen Rest der Volksgenossen eine Wirtschafts-Gestapo. Sie können zu Staatsfeinden und Opfern des Staates von jetzt an nicht nur durch ihre Gesinnung werden; nicht nur durch Armut oder Krankheit, was beides dieser Staat auf eine schlechte Rasse schiebt und demgemäß bestraft; nein, an jedem Bissen, den sie verordnungswidrig in den Mund stecken, sollen sie sich den Tod essen. Womit die Wirtschaft nicht verbessert wird, das weiß jeder, am besten wissen es die Veranstalter. Soll auch gar nicht verbessert werden – die Wirtschaft der Lebenden bestimmt nicht. Es geschieht unter Aufsicht des Militärs und ist Kriegswirtschaft, will sagen: Wirtschaft derer, die sterben sollen.

So grauenhaft übertriebene Ansprüche eines Staates haben schon für sich allein das Lähmende wie ein Ungeheuer, dessen Umfang niemand abgeschätzt hat, und seine Höhle wurde von dem Entsetzen nicht untersucht. Der Staat überbietet sich aber mit seiner »Weltanschauung«, die darauf hinausläuft, die Menschenopfer zur eigenen, selbstgewählten Pflicht der Menschen zu machen. Einem Volk wird unwiderstehlich eingebläut, daß es in all und jedem gegen sich selbst handelt – handeln muß und zu handeln gewillt ist. Ein Angeklagter vor Gericht vertritt dort nicht mehr seine Unschuld und den natürlichen Wunsch, loszukommen. Die grundsätzliche Annahme ist, daß er den Ankläger unterstützt und daß er sich zur Verurteilung und Abstrafung geradezu hindrängt. Dieselbe Voraussetzung gilt für das ganze Volk, das übrigens genau in der Lage eines Angeklagten ist und einem ewigen Strafvollzug unterliegt. Es stürzt sich selbst hinein, so ist die Annahme, und daraus wird Staatsdoktrin. Vorgeblich wehrt es sich nicht, kann sich nach seinem Gewissen gar nicht wehren, sondern erkennt freiwillig an, daß sogar schon ein Streik ein Verbrechen gegen die Volksgemeinschaft wäre. Welch ein Kriminalfall wäre erst die selbständige Gesinnung oder die freie Verfügung über den eigenen Körper.

»Rasse«, »Wehrhaftigkeit«, »gesundes Volksempfinden«, alles ist eingesetzt, damit ein Volk sich in Unsinn und Mißbrauch nicht nur ergibt: es soll noch stolz darauf sein, daß es seine Freiheit verloren hat und den Eindruck des vollendeten Irreseins macht. Sehr kostbar erweisen sich hier die Weltanschauung und Doktrin; um so unbezahlbarer, je öfter in der herrschenden Schicht selbst an sie geglaubt wird. Dies ist mehr oder weniger der Fall und sieht beiläufig aus, wie ein gelehrter Professor in Paris es kürzlich dargestellt hat. »Die Gruppen, die sich selbst eine rein erhaltene Herkunft zuschreiben, in Wirklichkeit fußen sie hauptsächlich auf ihrem gemeinsamen Nutzen. Seelische und geistige Neigungen, wie gewisse Länder sie bekunden, sind fast immer nur eingeimpfte Gefühle. Den Massen werden sie eingeimpft von den Geschicktesten, die sie daraufhin ausbeuten.« So ist es; aber wenn man es in dem gemeinten Lande aussprächte? Es auch nur klar begriffen hätte? Wenn nicht auf den Ausgebeuteten und meistens wohl auch auf den Ausbeutern der Nebel einer »Weltanschauung« läge?

Dann wäre die Revolution da oder wäre unvergleichlich erleichtert. Man weiß und sagt: Der Kapitalismus in seiner verworfensten Gestalt, bankrott und gewalttätig, soll erhalten werden gegen jedes soziale und wirtschaftliche Gesetz: daher dieser Staat. Einige Großgrundbesitzer und Trustmagnaten sollen sich in dem Maß bereichern dürfen, als ob ein blühendes Volk für sie arbeitete; es sind aber Hungernde, Mißhandelte, und es ist die Verzweiflung, wenn es nicht die Mitschuld ist. Nur zu Zwecken wie diese ist jeder Rest von Freiheit und Demokratie beseitigt, denn dieses Regime widerstände nicht ihrem geringsten Aufleben. Hierfür ist die Wissenschaft abgestellt, die Literatur verjagt, und in dem geistig verödeten Lande wird jeder Begriff, um dessentwillen die Geschlechter gelebt haben, entwertet und verdreht. »Auf diesem Boden wächst nichts«, hat wirklich einer verraten, ein Berliner Akademiker, der öffentlich Rasse und Wehrhaftigkeit redet. So wissen sie doch Bescheid, zuweilen taucht ihr Kopf aus dem Nebel, und erschrocken gestehen sie ein, daß sie Heuchler sind. Damit geben sie der Revolution eine Chance.

Das Volk entnimmt aus vielen Einzelheiten, daß die Nutznießer des Regimes von ihm nicht überzeugt sind oder daß ihre Überzeugtheit nachläßt. Wenn die Machthaber und ihr Gesinde von Gau-, Schar-, Müllführern sich allzu eilig bereichern, ist dies doppelsinnig, entweder bedeutet es: Das System rechtfertigt alles; oder man scheint ihm vielmehr zu mißtrauen. Die zweite Auslegung gewinnt aber einen Vorsprung, sobald bekannt wird, daß Korruptionsprozesse gegen Nationalsozialisten nur noch unter Ausschluß der Öffentlichkeit stattfinden dürfen. Das läßt auf ein schlechtes Gewissen schließen; indessen, nichts ist Gewaltherrschern, besonders denen ohne Recht und Herkunft, weniger erlaubt als ein schlechtes Gewissen. Was ist es ferner mit ihrer antibolschewistischen Besessenheit? Die macht manchmal geradezu den Eindruck der Echtheit: dann um so schlimmer für die Besessenen. Ihr Haß ist das Eingeständnis, daß ein anderes Volk, eine Union von Völkern sogar, wenn schon doktrinär erzogen, dann für sich, nicht gegen sich erzogen wird. Ein Staat kann es mit der Wahrheitsliebe versuchen und muß nicht sein ganzes Dasein auf seine Lügenhaftigkeit stellen. Nun, das läßt begreiflicherweise den Lügner nicht ruhen, besonders da er der Ukraine die Hungersnot anlügen muß, während sie im Überfluß versinkt, und gehungert wird bei ihm selbst. Auf dreißig Personen entfällt in der Sowjetunion eine, die studiert: als Folge des Systems. In Deutschland veröden die Universitäten, als Folge des Systems. Wie sollte das andere nicht verabscheut werden.

Aber Antibolschewismus? Das ist eine höchst betrügerische Behauptung, selbst wenn die Tatsachen ihr entsprächen. Natürlich wird hier entgegengearbeitet der bolschewistischen Absicht, das vermeidbare Unglück der Menschen allmählich zu verringern. Übrigens wäre dieselbe Absicht in jeder ehrlichen Demokratie wesentlich enthalten, weshalb der Nationalsozialismus mit hinreichendem Grund zwischen ihnen und dem Bolschewismus kaum unterscheidet. Aber Antibolschewismus ist das nicht, was hier getrieben wird. Es ist der Versuch, die lehrhafte Tätigkeit des Bolschewismus vorzutäuschen, dadurch, daß man die Deutschen sich in Zucht und Kollektivität üben und verausgaben läßt: nur immer gegen sich selbst. Diese Antibolschewisten des Endzwecks, für den Augenschein und ihre eigene List sind sie weit eher Parodisten des Bolschewismus. Das ist aber die Stelle, wo die List zuerst durchschaut wird und am frühesten versagt. Ein Würdenträger bemüht sich zu den deutschen Arbeitern, um ihnen etwas über die »Sowjethölle« aufzubinden. Wie sehr verkennt er die Macht der wirklichen Erfahrung! Sie wissen, wo diese Hölle liegt, um ihr Wissen wird keine »Weltanschauung« sie betrügen; und sollte das Gespräch zwischen ihnen und dem Würdenträger weitergehen, dann endet es für ihn mit Prügeln, für die Arbeiter mit der Gestapo.

Dies ist eine Etappe auf dem äußerst erschwerten Weg zu der deutschen Revolution – er wird noch manche Strecke durchlaufen müssen. Dies ist der Abschnitt, währenddessen man sich vom Nationalsozialismus eher drückt, als daß man schon offen gegen ihn aufträte, obwohl auch dies geschieht. Die Söhne der mittleren und großen Bauern wollen nicht mehr SA-Leute sein, und wie die Arbeiter drücken sie sich von den Versammlungen der Partei, ja haben den Mut, aus den Organisationen zu treten. Im Zusammenhang hiermit geben die Alten ihre Waren nicht her, lieber lassen sie sich verhaften. Man hat aufgehört, den Terror zu achten: das bezeugen die Massenprozesse gegen Marxisten wie die Christenverfolgungen: in beide begibt man sich mit erhobenem Kopf. Es ist der Augenblick, da Deutsche bewundernswert werden – ohne daß gefragt werden muß, ob sie ihr Gewissensrecht, ob das Recht auf ihr Eigentum verteidigen. Bauern, die sich verhaften lassen anstatt Beraubung zu ertragen, beweisen lebendig, daß Eigentum nicht abhängt vom Kapitalismus und daß ein Raubkapitalismus verschwinden muß, damit das gerechte Eigentum besteht. Christen in den Kirchen beider Bekenntnisse, die gefüllt sind wie nie, hören den Geistlichen die Antwort auf nationalsozialistische Angriffe verlesen, was ihn und sie in Gefahr bringt. Sie achten ihrer nicht. Eine große Gefahr ist die Beichte geworden; wenn der Pfarrer dem Staat gehorsamer wäre als seinen Weihen, müßte er alles melden. Sie beichten dennoch.

Das Spitzeltum, die Angeberei und persönliche Rache, alles Ausgeburten dieses Staates und seiner Ehre, haben bei dem neueren Zustand der Menschen und Dinge nicht ab-, sondern zugenommen. Der Druck dieses Staates dauert fort, mit allen seinen Ansprüchen auf Opfer, Menschenopfer und dem verwegensten Anspruch auf die Freiwilligkeit des Opfers. Aber das Ungeheuer wird allmählich besser durchschaut als zu Anfang. Seine »Weltanschauung«, die es in mythischer Weise sichern sollte, gibt ihm im Gegenteil die tödliche Blöße, da das Geschwätz endlich gemessen wird an der Erfahrung. Das ist die erreichte Etappe. »Bürgerliche«, die wenig haben und nichts verlieren können, erhalten hartnäckig ihren Bolschewistenschrecken; er ist ihre Ausrede. In ernsteren Stimmungen gestehen sie ein, daß auch sie das Regime hassen, und nur dem »hinterlistigen« Proletariat mißtrauen sie. Allerdings. Es ist dafür gesorgt, daß die Schichten dieses Volkes

Deutschland wird »ausgekämmt«

Eine Ansprache an die deutschen Gefangenen
in der Sowjetunion

1943

Freunde!

Diese Anrede möchte ich euch geben dürfen. Gewiß bin ich nicht, daß ihr meine Freunde sein wollt. Ich wäre gerne der eure, obwohl ich auch anderen befreundet bin, auch dem Sowjetvolk, dessen Gefangene ihr seid.

Das meiste, was ihr gekannt habt in eurem jungen Leben, war unfreundlich. Übrig, um euch zu lieben und von euch geliebt zu werden, bleiben die Eltern, die Frau, das Kind. Aber nicht jeder weiß, ob sie noch dort sind, wo ihr sie verließet.

Euer Bruder ist vielleicht gefallen. Wenn man es euch gesagt hat, müßt ihr es wohl glauben. Was ihr von euren lebenden Anverwandten hört, braucht nicht wahr zu sein. Es könnte sein, sie hungern noch mehr, als ihr gehungert habt, sind schlechter gekleidet und können nicht einheizen. Ihre Arbeiten, erzwungene Kriegsleistungen, als ob auch sie im fremden Lande kämpfen mußten, haben zu Hause schon manchen erschöpft, wie andere im Felde.

Die Gefahr, gewaltsam zu sterben, ist nicht gering in eurer Heimat. Denn Krieg ist überall. Aus der Luft fallen ungeheure Geschosse, Viertausend-Pfund-Bomben, eine einzige legt Straßenzüge nieder. Ich selbst sah ein Bild, meine Heimatstadt, die Hauptstraße, an der Ecke das Haus, wo ich geboren bin: alles nur noch große Löcher, alles Schutt. Ich war froh, daß die Meinen lange tot sind.

Zerrissene Gliedmaßen sind nicht der einzige Kriegstod, wie ihr wißt. Es gibt den Hungertod – nicht nur auf der vereisten Erde eines fremden Landes, und es gibt die lange währenden Folgen der Unterernährung.

Eure Herrscher – wißt ihr's nicht, dann erfahrt es von mir,

den es tief kränkt! – haben das einfachste Verfahren einge-
führt, damit die Krankheiten vorläufig, sehr vorläufig unter-
drückt werden. Unheilbare Kranke werden vergast. Haltet
es für kein Gerücht! Ich bezeuge die Tatsache aus eigener
Kenntnis. In der Schweiz kam ein Mann an, er war aus
Deutschland geflüchtet, weil er sein Amt nicht länger ertrug.
Sein Amt war gewesen, Kranke, Alte und zurückgebliebene
Kinder dorthin zu fahren, wo sie vergast wurden.

Seht! So sehr lieben euch die Beherrscher Deutschlands. So
sehr lieben sie Deutschland und die Deutschen. Sie haben es
eilig, euch aufzuzüchten, ihr sollt ein kraftstrotzendes Geschlecht, das Herrenvolk sollt ihr sein, und das kann nicht
schnell genug gehen. Alle Schwachen müssen weg. Wer die
Rasse verschlechtert, ins Massengrab mit ihm!

Außerdem ist das billiger. Deutschland, wieder einmal von
der ganzen Welt überfallen, wieder einmal im aufgezwung-
enen Kampf um sein Leben, kann wahrhaftig keine Krüppel
durchfüttern. Um die Kartoffeln ist es schade. Das zurückgebliebene Kind wäre später vielleicht stark und groß geworden. Oder sein Gehirn wäre erfinderisch geworden: gerade die Schwächlichen überraschen manchmal. Aber ein für
alle Male vergast werden ist billiger als täglich Kartoffeln
essen. Die Kartoffeln sind für die Schwerarbeiter. Zwölf
Stunden Arbeit, zwei Pfund Kartoffeln, auf jede Stunde
eine ganze Kartoffel: was will man mehr. Von dieser Ernährung sind allerdings viele tüchtige Arbeiter tuberkulös geworden. Ihre Sache. Ihre eigene Schuld, wenn das Vaterland
in Not sie nicht erhebt und begeistert. Wessen Körper nachläßt, der war kein guter Deutscher, wahrscheinlich auch kein
Reinstämmiger. Krankheit macht verdächtig und verdient
Bestrafung. Wollen wir wetten, im Grunde werden nur Kommunisten und Juden vergast.

Butter sei nicht erst erwähnt: wo sind die Zeiten, als eure
Leute zu Hause auch Butter aßen. Kanonen statt Butter,
heißt das heldenhafte Wort, nun bald zehn Jahre. So lange

schon wird Deutschland von einem großen Mann regiert. Aber es steht fest, daß ein großer Mann Kanonen braucht, und was er braucht, muß er haben. Dagegen wird jeder Sachverständige euch beweisen, daß der gewöhnliche Mensch keine Butter braucht. Göring ist ausgenommen.

Man komme nicht immer mit den paar Personen, die sich satt essen! Der Reichsmarschall hat eine gewaltige Menge eigenes Fett zu unterhalten, natürlich muß er viel fremdes Fett zu sich nehmen. Außerdem erhält er sein Genie, wenn ihr wißt, was das ist: ich weiß es auch nicht.

Jetzt legt neben die Nahrung des Dicken die Gemüse, die euer vollschlanker Führer ißt. Alles zusammen macht soviel wie gar nichts. Laßt sogar die Gauleiter, Sturmbannführer und andere Heimkrieger mit ihren Nutten oder Jungen mal schlemmen, was Platz hat: das gibt, auf die Masse verteilt, noch immer keine Wurstpelle für den einzelnen Deutschen.

Wirkliche Fresser sind die fremden Zwangsarbeiter, die Deutschland ernähren muß. Es sind acht Millionen, bedenkt, was das heißt! Acht Millionen gesunder Männer bei gutem Appetit sind aus ganz Europa, allen eroberten Ländern zusammengetrieben, und wem fallen sie zur Last? Einem Volk ohne Raum, das selbst nichts hat.

Ihr werdet sagen: Ja, aber sie machen die Kanonen, die der Führer braucht. Wer sollte sie sonst machen, wir sind doch draußen.

Allerdings, ihr seid draußen, sogar weit draußen, gründlich draußen und kommt so bald nicht wieder. Viele, die ihr gekannt habt, kommen nie wieder. Ihr habt Glück gehabt, für euch ist der Krieg vorbei, aber das Leben nicht aus. Ihr habt im Augenblick ausgesorgt und genießt die Sicherheit, die auf Erden das seltenste geworden ist.

In Deutschland aber geht ein Gespenst um. Es ist ein lebendes Schreckgespenst, obendrein General und zweiundsechzig Jahre alt, es muß nicht an die Front. Aber es hat einen Extrazug, mit dem hält es bei jedem Dorf an und holt sich die

Ausgemusterten. Wer untauglich befunden wurde, kommt jetzt dennoch mit. Wer nicht laufen kann, ist immer noch gut für einen Sturmangriff. Wer schon vorher weder Essen noch Kleidung hatte, wird vor dem Feind auch nicht schlimmer hungern und frieren.

Mit einem Wort, das wir schon mal gehört haben, vielleicht im vorigen Krieg: Deutschland wird »ausgekämmt«. Es ist das letzte Aufgebot: das macht man jetzt mobil. Dem Führer fehlt der Mannschaftsersatz, aber den hat er beinahe so nötig wie Kanonen. Kanonen. Wenn alles so entbehrlich wie Butter wäre!

Die nächste Offensive wird entweder nicht stattfinden, oder die Truppen werden zusammengekratzt sein aus dem nicht mehr vollwertigen Bestand, der übrig ist. Man könnte die unterworfenen Länder von ihrer deutschen Besatzung entblößen. Tut man es, stehen die geknechteten Völker auf und helfen ihren Befreiern, die nichts verfehlen werden, dazusein.

Hieraus ist zu ersehen erstens, daß die deutschen Kanonen mehr und mehr von Fremden gemacht werden. »Mehr« bedeutet eigentlich weniger, denn die feindlichen Zwangsarbeiter bringen keine Liebe zum Geschäft mit, sie sollen sogar sabotieren. Ihre Produktion ist unzureichend, der Führer kriegt nicht, was er braucht.

Zweitens kommt angesichts der peinlichen Dinge jeder auf die Vermutung, daß es doch wohl falsch gewesen ist, Menschen zu opfern in einer Menge, bis die übrigen zuwenig waren. Besonders die Schlacht von Stalingrad bringt auf den Gedanken. Der Führer hat immer recht, ist ausgemacht und zum Gesetz erhoben. Wenn er um der Stadt Stalingrad willen mehr als dreihunderttausend deutsche Soldaten hat sterben lassen, während er selbst sich des Lebens noch freuen soll, dann ist sein Ratschluß unerforschlich.

Strategische Erklärungen sind nicht aufzufinden. Für die Sowjetunion, ja für sie ist Stalingrad noch viel mehr wert, für

Deutschland aber gar nichts. Keinen einzigen Mann war es wert. Dasselbe gilt für Moskau, Leningrad, Rostow, Charkow, die Ukraine und alles andere. Wenn die Sowjetunion diese Provinzen besitzt, blühen sie in der kürzesten Zeit erstaunlich auf. Wenn Deutschland sie hätte?

Euch ist sicher schon aufgefallen, daß die Besetzung des größten Teiles von Europa euch und die Euren weder glücklicher gemacht noch auch nur gesättigt hat. Ehe man bis drei zählte, sind die reichsten Länder verarmt, Deutschland aber hat darum kein Pfund Nahrung mehr, als es ohne seine Eroberungen hätte. Davon abgesehen, würde mir das Essen nicht schmecken, wenn ich anderen ihr Letztes weggenommen hätte.

Genug, der Krieg war unnötig. Es tut mir leid, es sagen zu müssen, aber ihr habt umsonst gekämpft, und eure Kameraden sind vergebens gefallen. Der Führer hat trotzdem recht: für ihn allerdings mußte Krieg sein, sonst war es um ihn geschehen. Da hat er gesagt: »Soll es lieber um meine Deutschen geschehen sein. Und vielleicht hab ich Glück.«

Hierüber erzähle ich euch das nächste Mal mehr: über das Glück des Führers und seinen Krieg, der dennoch schiefgeht. Auch über das Sowjetvolk in Waffen ist viel zu sagen: warum es so tapfer und warum es nie entmutigt ist. Aber ihr seid bei ihm, ihr werdet schon selbst etwas merken.

Über Schuld und Erziehung

1944

Die Frage nach der Mitschuld des deutschen Volkes und nach seiner künftigen Erziehung wird oft gestellt. Niemals, weder von seiten der Vereinigten Nationen noch bei den antifaschistischen Deutschen, ist die Frage befriedigend und endgültig beantwortet worden. Die Unsicherheit und Verschiedenheit der Auffassungen legt den Verdacht nahe, daß die Frage falsch gestellt sein muß.

Deutschland für sich allein betrachtet, außerhalb jeden Zusammenhanges mit seiner Um- und Mitwelt, ergibt keine Lösung irgendeines Problems. Man überschätzt die Selbständigkeit dieses nur mittleren Landes, wenn man meint, es habe in voller Unabhängigkeit den rechten Weg verlassen und müsse als ein kaum begreifliches Phänomen in Güte oder Strenge auf ihn zurückgeführt oder abgesondert werden.

So liegt es ganz gewiß nicht. Das Phänomen ist erstaunlich, es ist empörend und beklagenswert. Erklärt wird es, sobald man nicht das einzelne Land, seine Irrtümer und Verbrechen betrachtet, sondern das jetzt abgelaufene Zeitalter untersucht. Es untersucht mit seinen fehlerhaften Meinungen, überalterten Einrichtungen. Nicht zu vergessen die Versäumnisse. Ja, die Versäumnisse mehrerer untätigen, stumpf beharrenden Geschlechter in den meisten Reichen bewirkten zum Schluß, daß eines ausschweifte.

Das war nun Deutschland. Von Natur sowohl ausschweifend wie langsam, haben die Deutschen auch diesmal den bestehenden, unhaltbaren Stand ihrer Dinge verlängert über jede erlaubte Frist. Eine geistige und gesellschaftliche Verfassung, die sie hätten neu bedenken sollen, haben sie im Gegenteil verschärft ohne Ansehen der unheilvollen Folgen. Wann ist in Deutschland das Geschworenengericht abgeschafft worden? Während der Republik, mit einem Federstrich irgendeines gleichgültigen Ministers. Wer es nicht wüßte, würde auf Hitler als auf den Täter raten.

Hitler wurde von seinen Geldgebern mit Krieg beauftragt: der Krieg, der verhindern sollte, daß in Europa etwas sich änderte zugunsten der Besitzlosen. Der Krieg kam, da erschrak die Welt vor diesem Deutschland und beschloß, es unschädlich zu machen. Das hätte früher geschehen sollen, aber man sah nicht voraus, Deutschland werde die universal überlieferten Antriebe, den unkontrollierten Nationalismus und die wenig beschränkte Ausbeutung bis dorthin verfolgen, wo sie Ekel und Grausen sind.

Private Truste durften überall die Völker ausbeuten – viel länger als die einfache praktische Vernunft es noch zugelassen hätte, zu schweigen von jeder Moral. Endlich hielt ein Trust, »Drittes Reich« genannt, sich für befugt, das ganze Europa seinem Unternehmen einzuverleiben, mit dem Ziel, seine hilflosen Zwangsarbeiter zu machen aus allen Europäern. Wäre das vom heiteren Himmel gefallen! Aber es wurde versucht in einer weltweiten Atmosphäre des Hasses gegen die Sowjetunion, die nicht mehr ausbeutete.

Krieg wird beschlossen, wenn den privilegierten Ausbeutern das eigene Land allein nicht mehr genug abwirft. Der Fall begab sich am dringendsten in Deutschland. Denn Deutschland war kein Imperium, nur ein rein kontinentales Land mit fünfundsechzig Millionen Einwohnern, aber einer Horde von Milliardären, die sich, gegebenen Tatsachen zum Trotz, unausgesetzt bereichern wollten. Anstatt diese Leute zu bändigen, hat die Republik ihnen überlassen, die Ereignisse zu bestimmen, ja ihre Angestellten waren Reichskanzler.

Bismarck, der sein Reich als Friedensmacht mit endgültigen Grenzen sah, hätte Kriegstreiber niemals zugelassen. Unter Wilhelm II. wühlten die Herrschaften, die sich die Industrie nannten, sie bezahlten die Alldeutschen. In der Republik mußten sie kaum noch wühlen: sie herrschten. Ihr Kandidat, nachdem sie die Republik zugrunde gerichtet haben würden wie vorher den Kaiser, war Hitler. Sie sind es, die ihn den Deutschen aufgedrängt haben. Sein glückloser Nationalismus machte Deutschland reif, den Schlucker hinzunehmen.

Der deutsche Nationalismus war glücklos, je weniger die Nation auf eine rühmliche politische Geschichte zurückblickte. Hätte sie Bismarck je verstanden! Aber seine Erscheinung sollte sie nur entschädigen für alle Demütigungen ihrer Vergangenheit. Der Nation im ganzen war er ein Eisenfresser, der Despot Europas, während er in Wahrheit als guter Europäer dachte und Deutschland normalisierte unter Ausschluß aller unverantwortlichen Abenteuer. Gerade diese sind gleich nach ihm der Inhalt des deutschen Selbstgefühles, der deutschen Träume geworden: daher konnten sie in die staatliche Wirklichkeit eintreten.

Normwidrig und krankhaft waren schon die Erfindungen des »Herrenmenschen«, der »moralinfrei« sein sollte, und des »Irrationalen« als des handelnden Prinzips. Aus einer geistigen Spielerei der Distinguierten ist in vierzig Jahren die Mißachtung von Vernunft und Mitleid ein ordinäres deutsches »Gedankengut« geworden. Ideen, die falsch, aber verführerisch sind, kommen unfehlbar herunter bis auf einen Hitler. Dann ist es zu spät. Unvorstellbare Grausamkeiten werden von gestern auf heute die tägliche Übung. 1933 war das Jahr, als in Deutschland auf einmal die Menschenrechte flötengingen.

Wozu? Um der Rache willen. Deutsche, die ihren Führer gefunden hatten, rächten vor allem ihre eigene Jämmerlichkeit. Da natürlich andere die Schuld haben mußten, büßten diese Deutschen ihren Welthaß. Ihr entarteter Nationalismus endete im Welthaß.

Dezember 32, mit dem letzten freien Wort, das ich in Deutschland wagen konnte, sagte ich voraus, der Nationalismus werde um 1940 fertig sein. Was in jenem Jahr wirklich eintrat, war der anschauliche deutsche Unterricht über die Unmöglichkeit eines angeblichen Nationalstolzes, der, mit

Minderwertigkeiten gesättigt, auf seiner letzten Stufe nur noch von Vernichtung weiß.

Traurig, entsetzlich traurig. Aber Schuld? Oh! sicher, mitschuldig sind alle – keinen, der redet, ausgenommen. Reden und Nichthandeln ist gerade unser Übel gewesen. Wir konnten, bevor er zur Macht kam, diesem Hitler und seinen Banden die Gewalt entgegensetzen. Das wäre der innere Krieg gewesen. Hätte er zur Anarchie und Auflösung geführt, alles wäre erträglicher, alles ehrenhafter gewesen als ein Regime ohne Menschenrechte und ein Krieg des Welthasses. Aus ihnen geht Deutschland, gleichviel wie bestraft, jedenfalls mit Schanden hervor.

Sich rechtfertigen, wie denn? Wiedergutmachen, was bitte? Man erweckt getötete Generationen nicht und macht mörderisch verkleinerte Nationen nicht vollzählig. Die deutsche Bevölkerungspolitik des Krieges war, die anderen Nationen an Umfang dermaßen herabzusetzen, daß die ziffernmäßige Unterlegenheit des Eroberers weniger auffiele. Der abgefertigte Eroberer hat in allen Niederlagen und Rückzügen darauf beharrt. Ob er jetzt wirklich fürchtet oder nur vorgibt zu fürchten, ihm könnte nach seinem Maße vergolten werden, die erwarteten Sieger denken nicht daran.

Das ist nun, gesetzt, auch diese Deutschen können sich schämen, von allem das Beschämendste. Von Deutschland oder was dann noch Deutschland heißt, werden Arbeiterbataillone für den Aufbau zerstörter Länder gefordert werden. Einige Kriegsverbrecher mögen den Weg des Fleisches und seiner Untaten gehen. Wenn die Deutschen selber keine Schuldigen in Mengen hart treffen, aber das Recht haben sie kaum, die Alliierten lassen ihrerseits erkennen, das Geschäft liege ihnen nicht.

Wie werden Deutsche antworten auf die beschämende Vernachlässigung von seiten der Sieger? Schon heute sorgen die angehenden Sieger sich mehr darum, wie viele Deutsche sie mit Brot werden versorgen müssen, als um die Zahl der

Hinzurichtenden. Schlecht beratene Deutsche mögen sagen wie 1918: dann seien sie gar nicht besiegt. Im Felde unbesiegt! Man erinnert sich doch. Das nächste Mal werden wir besser rüsten, sprechen einige der neuesten deutschen Gefangenen. So aber Gott will, werden sie nichts zu rüsten haben. Keine Rüstungsfabrikanten mehr, besonders nie, nie wieder die Herrschaften, die sich die Industrie nannten. Hiermit beginnt die deutsche Erziehung, wenn nach Erziehung gefragt wird.

Gewiß werden die deutschen Schulen, nach Lehrstoff und Richtung, von Grund auf reformiert werden müssen. Ich empfehle als ein Hauptfach die Logik: empfehle sie nicht zum erstenmal, aber die Republik hörte mich nicht. Das Fehlen der Logik im Programm der deutschen Unterrichtsanstalten erklärt zum guten Teil den leichten Sieg der evidenten Widervernunft über die jungen Deutschen. Mit einiger Übung im logischen Denken, daher auch in der christlich-europäischen Moral, wären Sätze wie diese denn doch kein deutsches Bekenntnis geworden:

»Die europäische Demokratie ist der Vorläufer der Anarchie.« (Die vernunftlosen Leidenschaften sind es.) »Keine Nation ist jemals aufgebaut worden durch Demokratie.« (Anstatt: jede moderne, die mächtigste antike.) »Die großen Weltreiche wurden von ihr zerstört.« (Anstatt: durch Cäsaren.) »Und dies prophezeie ich: wird die Demokratie nicht überwunden, dann wird die menschliche Zivilisation nicht wachsen, sondern niedergehen.« Muß richtig heißen: An den Rand des Abgrundes werde ich selbst, der deutsche Führer, sie bringen, und zwar mit Wissen und Willen. So Hitler, 1936.

1944 durfte Präsident Roosevelt das Ergebnis seiner Arbeiten und der großen Arbeiten des verwandelten Zeitalters in diese Worte fassen: »Der Sieg des amerikanischen Volkes und seiner Verbündeten in diesem Krieg wird weit mehr sein als ein Sieg über Faschismus und Reaktion, über die tote Hand der Despotie und der Vergangenheit. Der Sieg des amerikanischen Volkes und seiner Verbündeten in diesem Kriege wird ein Sieg für die Demokratie sein. Stärke, Macht und Lebenskraft der Regierung durch das Volk werden erwiesen und bezeugt sein wie nie zuvor in der Geschichte.«

Roosevelt verweist auf die bestätigte Entschlußkraft der demokratischen Regierung, ihre Fähigkeit zu handeln. Autoritäre Mächte hatten immer behauptet, daran fehle es ihr. Hitler und der vorletzte kaiserliche Kanzler, gleichwertige Nichtdenker, waren der gleichen Meinung: »Die Amerikaner rüsten nur, zum Kämpfen kommen sie zu spät.« Oder: »Sie können nicht schwimmen, sie können nicht fliegen, sie werden nicht kommen.«

Das Gegenteil ist Tatsache, und nicht erst jetzt. 1918 waren sie auch schon gekommen. Damals sind die Deutschen von der Demokratie nicht überzeugt worden. Sollten sie es heute sein, durch dagewesene Vorgänge, die im größeren Stil sich wiederholen? Aber es gibt neue Vorgänge. Inmitten dieser Kämpfe auf Tod und Leben der zivilisierten Welt hat ihre Gesinnung gewechselt. Die überlieferten Antriebe des Nationalismus und der Ausbeutung waren wenig geschwächt bis zu diesem Kriege. Seit ihm gelten sie nicht mehr. Die Verwandlung erfolgte unter der Decke des furchtbaren Leidens an demselben Feind. Sie erfolgte ohne viel äußere Zeichen, nur das Gefühl der Völker war unverkennbar. Alle fühlten, die größten zuerst, daß der Feind in seiner Ruch- und Ahnungslosigkeit beides bis über das äußerste Maß getrieben und zugrunde gerichtet habe: den nationalen Eigennutz, die menschliche Ausbeutung.

Die alten Demokratien änderten ihr inneres Verhältnis zu der neuen, die Rußland ist. Sie sagten sich los von dem »Antibolschewismus«, der Hitler erlaubt hatte, sie zu betrügen. Das Mißtrauen wich vielfach dem Verständnis, der Wunsch kam auf, die Sowjetunion als Freund zu haben, wie im Krieg um die Freiheit, so in dem künftigen Frieden der freien Nationen. »Wir gehen voran«, spricht Roosevelt, »mit

Gottes Hilfe, in die größte Epoche freier Vollendungen durch freie Menschen, die größte je bekannte oder nur als möglich angenommene.« Dies zu ergänzen durch den Satz des Dean of Canterbury: »Ein Land mit armen Leuten ist nicht frei.«

Roosevelt hat sich stark ausgedrückt. Hochgespannt ist auch der Gesetzentwurf Churchill-Beveridge. Das Buch liegt seit 1942 dem Parlament vor, die Nation, die es in zwei Millionen Exemplaren gekauft hat, erwartet fest, sogleich nach dem Kriege werde die Existenz jedes einzelnen Briten gegen alle Not versichert werden lebenslang. Die Not, der Plan nennt sie einen Skandal, der längst hätte abgestellt werden können. Für das wiedergeborene Frankreich spricht sein de Gaulle: »Nach der schrecklichen Prüfung ist kein Platz mehr für eine soziale und sittliche Ordnung, die sich gegen die Nation ausgewirkt hat.« Notwendig bleibt bei den Verwirklichungen großer Vorsätze einiges unterwegs liegen. Die Revision aller Existenzbedingungen, der nationalen und der individuellen, setzt Kämpfe voraus; Enttäuschungen können nicht fehlen. Geschaffen, im Zusammenhang aller unserer Geschicke herangebildet und fortan unverlierbar, ist die neue Atmosphäre des Zeitalters: eine gereinigte Luft, in der man jetzt atmet. Das entscheidet. Dem verwandelten Zeitalter mit seinem durchaus neuen Lebensgefühl widersteht niemand, auch kein Besiegter. Der Druck einer ganzen Mitwelt ist unvergleichlich stärker als ihre militärische Macht, wenn er moralisch auftritt.

Wer wäre Deutschland, um sich dem Einfluß eines nationalen und sozialen Humanitarismus zu entziehen? Einmal etabliert in der Welt ringsum, überwältigt er, wenn er nicht überzeugt. Aber ich wußte nicht, daß Deutschland den machtvollen geistigen Bewegungen seiner Nachbarn jemals die Gefolgschaft ganz versagt hätte. Zur Folge öfter als zur Führung berufen, hat Deutschland unseligerweise die Führung übernommen, als der widerlegte Unfug einer abgewirtschafteten Epoche in die letzten Zuckungen verfallen sollte.

Sein Mißerfolg allein würde Deutschland nicht so bald belehren. Die sicherste Erziehung besorgt der Geist der Zeit. Als Bismarck sein Deutschland zu normalisieren dachte, verstand es nicht, was gemeint war. Aber niemand hat damals verstanden, im Wege war das eifersüchtige Gesamt-Ingenium der Mächte von einst. Gesetzt, die heutigen Mächte seien richtig verkörpert in Churchill, Stalin, de Gaulle und Roosevelt, dann wird das verwandelte Zeitalter zweifellos ein verwandeltes Deutschland kennen.

Nicht sogleich, nicht ohne kluge Nachhilfe. Aber im Gefolge der anderen Staaten, die von ihrer Selbstherrlichkeit einiges nachgelassen, und der Nationen, die ihr Wissen um Freiheit und Menschenrecht verbessert haben, könnte wohl auch Deutschland sich fügen, sich bescheiden und dabei gewinnen.

Bibliothek Suhrkamp